Furoshiki

l'art d'emballer avec du tissu

Aurélie Le Marec

tutti frutti

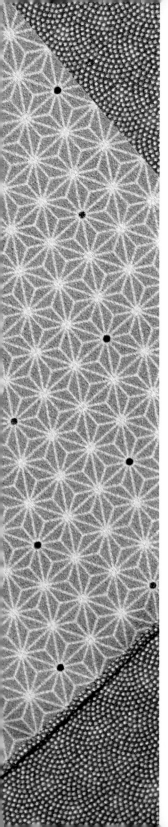

Conçu et produit par :
Editions Tutti Frutti
28 rue Sedaine
75011 Paris – France
www.tuttifrutti.fr

Direction éditoriale : Alexis Faja
Suivi éditorial : Lorraine Desgardin
Photographies : Virginie Devaux
Illustrations : Annabel Benilan
Maquette : Audrey Tchakirian
Imprimé en U.E.

ISBN : 978-2-36009-061-7
Dépôt légal : juin 2012

Sommaire

Le furoshiki

Une technique ancestrale

Technique japonaise du pliage et du nouage de tissu, le furoshiki est utilisé pour l'emballage des cadeaux et le transport des objets de la vie quotidienne. Furoshiki désigne également le carré de tissu utilisé lors des pliages.

Son apparition, sous le nom de *tsutsumi*, «emballage», date vraisemblablement de l'ère Nara (710-794). À cette époque, il est destiné à protéger les objets de valeur. On en retrouve d'ailleurs la trace dans le trésor impérial du Shoso-in au temple Todai-ji de Nara.

À la période Heian (794-1185), ce tissu sert surtout à envelopper les vêtements et est appelé *koromozutsumi*, «emballage vêtement».

La pratique se développe ensuite à l'époque Kamakura (1185-1336), sous le nom de *hirazutsumi*, qui signifie littéralement «paquet à plat».

Enfin, il semble que le terme furoshiki, «étaler au bain», apparaisse à l'époque Muromachi (1336-1573). Invités à Kyôto par le shogun Ashikaga Yoshimitsu à profiter du grand bain installé dans sa résidence, de nombreux seigneurs utilisent ce tissu au blason de leur famille pour éviter de mélanger vêtements et autres effets personnels.

Ce terme se généralise à l'époque Edo (1603-1868) et perdure jusqu'à nos jours. Très pratique pour transporter ses affaires et s'essuyer les pieds à la sortie du bain, son utilisation se popularise en même temps que la démocratisation des bains publics, véritables institutions japonaises.

Au fil des siècles, le furoshiki accompagne les Japonais dans tous leurs déplacements et s'intègre à leur quotidien. Emporté sur les chemins de pèlerinage, il se révèle également fort utile lorsqu'il faut fuir les pilleurs en temps de guerre.

Dans la ville d'Edo, actuelle Tôkyô, les incendies étaient fréquents. Le furoshiki était alors un allié précieux des habitants, toujours prompts à emballer leurs futons et leurs biens les plus précieux en cas de nécessité. Les marchands contribuent aussi beaucoup à sa diffusion.

Ils utilisent non seulement cette technique pour transporter et mettre en valeur leurs marchandises, mais aussi comme support publicitaire (en offrant des furoshiki marqués de l'emblème du magasin).

Cependant, face à l'industrialisation grandissante qui succède à la seconde guerre mondiale, le furoshiki est peu à peu délaissé au profit des sacs plastiques, sans toutefois jamais totalement disparaitre.

Depuis une dizaine d'année, on assiste à un véritable renouveau de cette technique, porté par l'ancienne Ministre de l'Environnement, Yuriko Koïke, ardente militante pour le retour du furoshiki. Modernisé par de jeunes designers, le furoshiki séduit de plus en plus, parmi les jeunes notamment, et s'exporte progressivement dans le monde entier.

Un éco-geste au quotidien

Au Japon, le furoshiki est devenu le symbole du Mottainai (concept japonais de rejet du gaspillage) et de la politique des 3R (Réduire, Réutiliser, Recycler).

En effet, cette technique, très facile à utiliser au quotidien, permet de réduire considérablement notre consommation excessive de sacs plastiques et d'emballages papiers.

Le furoshiki est un bon moyen de lutter contre l'usage des sacs plastiques qui sont non seulement une pollution visuelle lorsqu'ils échouent dans la nature, qui produisent des substances toxiques pour l'homme et son environnement lors de leur incinération, mais également qui entraînent la mort de nombreuses espèces animales.

Le furoshiki remplace aussi avantageusement les papiers cadeaux, très souvent non recyclables à cause des traitements chimiques qu'ils ont subis. Emballage réutilisable à volonté, il pourra se transmettre au gré des fêtes et des anniversaires, créant ainsi une véritable histoire de liens.

Il est également tout à fait possible de redonner une seconde vie à nos textiles (foulards, paréos, chutes de tissu, nappes, etc.) en les transformant simplement en furoshiki.

À la fin de sa vie, le furoshiki peut être recyclé. On peut s'en servir de chiffon d'essuyage ou bien l'apporter dans des structures spécialisées dans le recyclage du textile, destiné à l'industrie automobile ou à la fabrication de matériaux d'isolation.

Polyvalent, modulable et ludique, le furoshiki s'adapte à toutes les situations et à toutes les formes d'objets que l'on souhaite transporter ou emballer. Beaucoup plus élégant et personnel que tous les sacs et les emballages publicitaires, il saura accompagner petits et grands tout au long de leur vie quotidienne.

Allez encore plus loin : utilisez les noix de lavage. Ce sont des fruits du Sapindus Mukorossi, un arbre qui pousse en Inde et au Népal. Elles sont utilisées depuis des siècles comme produit de lavage. Les coques des noix contiennent une substance nettoyante, la saponine, qui opère comme un savon naturel au contact de l'eau.

L'art d'offrir

Au Japon, offrir un cadeau ne relève pas de la simple politesse, c'est un geste fort, entouré d'un véritable cérémonial symbolique et traditionnel. On apprend très tôt qu'il ne faut jamais apporter un cadeau sans emballage : tous les petits Japonais apprennent à le porter au niveau de la poitrine pour en montrer la valeur, quel que soit son prix. Le cadeau offert n'est pas seulement l'objet dans le paquet, mais aussi l'emballage lui-même et la manière dont le présent est fait.

Lorsque l'on offre un cadeau emballé dans un furoshiki, la coutume veut que l'on déballe soi-même le cadeau devant la personne à qui on souhaite l'offrir, puis on garde le furoshiki par-devers soi avant de présenter le cadeau à cette dernière.

A contrario, il est souvent admis que si on laisse le cadeau emballé dans son furoshiki, la personne l'ayant reçu est supposée offrir, en retour, un cadeau emballé dans ce même furoshiki.

Il est conseillé de suivre ce protocole au Japon, surtout lorsque l'on souhaite offrir un cadeau à une personne d'importance, d'un certain âge ou dans un cadre plus professionnel.

Cependant, en tant qu'Occidental, si l'on souhaite offrir un cadeau à ses amis ou sa famille, on peut tout à fait choisir, selon les circonstances ou la sensibilité de chacun, d'offrir le furoshiki avec le cadeau ou de le garder.

Prononciation du japonais transcrit en *rômaji* (écriture avec alphabet latin)

u se prononce	« ou »
e se prononce	« é »
r se prononce	« l »
j se prononce	« dj »
g se prononce	« gu »
ch se prononce	« tch »
sh se prononce	« ch »

L'accent circonflexe indique une voyelle longue dont la prononciation est plus soutenue qu'une voyelle normale.

Si les pliages traditionnels sont désignés par des termes japonais (*yotsu-musubi, suika-tsutsumi, otsukai-tsutsumi*, etc.), le renouveau du furoshiki et ses applications plus modernes s'accompagnent de nombreux anglicismes, également utilisés dans la vie courante. C'est le cas du *bîchi-baggu* : beach bag, de l'*hando-baggu* : hand bag, etc.

L'auteur a choisi de mettre des tirets pour décomposer les titres des pliages transcrits en *rômaji* afin d'en faciliter la lecture.

Le furoshiki, carré aux mille possibilités

Les tailles

Traditionnellement, le furoshiki est légèrement rectangulaire. Cependant la tendance actuelle généralise le carré, plus adapté à une production industrielle. On parlera donc dans cet ouvrage de carré pour simplifier.

Il existe différentes tailles de furoshiki :

45 cm de côté : pour envelopper de l'argent en période de fête ou à l'occasion de funérailles.

50/52 cm de côté : pour transporter une boite à bento (boite à déjeuner) ou emballer de petits cadeaux.

68/70/75 cm de côté : les plus modulables et les plus courants pour emballer les cadeaux.

90 cm de côté : idéal pour porter des bouteilles, des livres ou faire un petit sac de courses.

105/118 cm de côté : les plus modulables pour le portage. Ils permettent de créer toutes sortes de sacs utiles à toute la famille (sac de courses, sac à dos, sac à main, etc.)

128/140 cm de côté : pour emballer et ranger des vêtements, faire un grand sac de courses ou un panier à pique-nique transformable en nappe.

175/195/230 cm de côté : utiles lors d'un déménagement, pour transporter et ranger futon ou couettes.

Conseil

Pour débuter, il suffit d'avoir deux furoshiki : 105 cm pour le portage et 70 cm pour l'emballage. Ces deux tailles sont les plus courantes et permettent de se familiariser au quotidien avec la technique du furoshiki.

Les matières textiles

On utilise traditionnellement des cotons résistants pour le portage et de la soie, plus délicate, pour l'emballage cadeau. Aujourd'hui, la soie est toujours prisée mais on apprécie également le synthétique, moins onéreux.

Uni ou à motifs, le *chirimen*, crêpe japonais de soie, rayonne ou polyester, donne à l'emballage cadeau un aspect raffiné et élégant.

Les tissus japonais sont souvent de très bonne qualité et proposent des motifs magnifiques, mais le furoshiki peut tout à fait s'adapter aux goûts et à la culture de chacun. Aujourd'hui, la variété des matières offre de nombreuses possibilités.

Par exemple, on peut choisir des tissus africains en coton réversible, des tissus à base de lin, des synthétiques (satin de polyester pour un sac à main plus léger) ou même du jean.

Le voile de coton, le satin ou le lin conviennent aussi tout à fait pour emballer un cadeau.

Pour une démarche plus écologique, vous pouvez utiliser aussi des matières recyclées, des tissus de réemploi ou issus du commerce équitable.

Enfin, il ne faut pas hésiter à personnaliser son furoshiki : broderies, appliqués, perles, pompons, miroirs... Le champ de création est vaste !

Les couleurs et motifs

Au Japon, le choix du furoshiki fait partie intégrante du cadeau. Selon les circonstances, la saison, et la personne à qui l'on offre le présent, on adapte le motif, la couleur et la matière du furoshiki.

La symbolique des couleurs joue un rôle important. On n'utilisera pas la même teinte s'il s'agit d'aller à un mariage ou à des funérailles. Pour les événements heureux, on utilise plutôt le rouge, le vert clair, le bleu clair ou le doré.

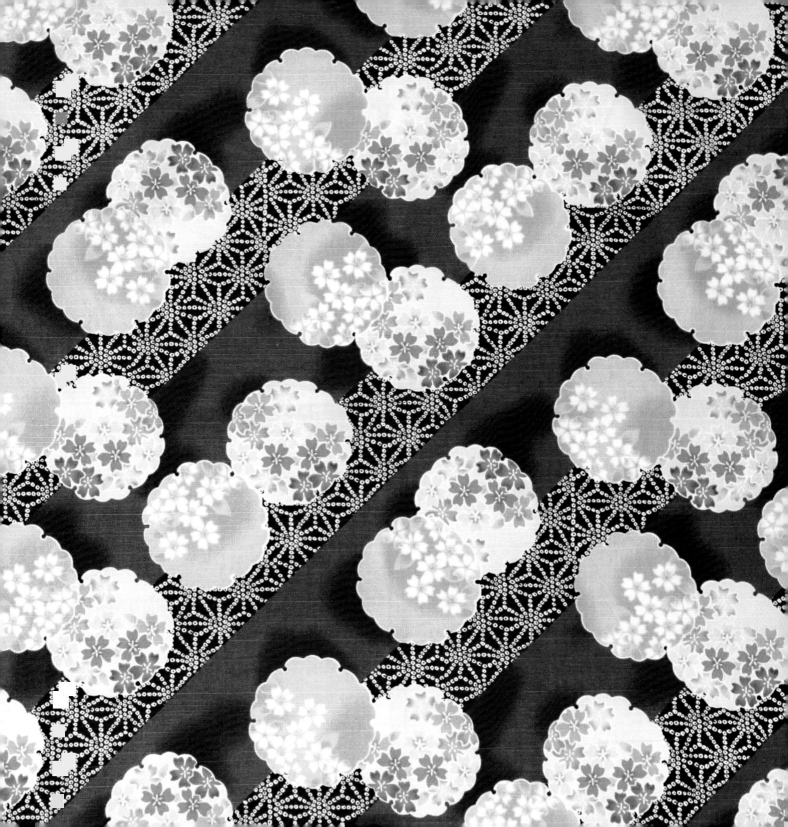

Pour les événements tristes, on proscrira les couleurs claires et brillantes pour utiliser principalement des couleurs foncées, le vert et le bleu foncés en particulier. Le violet, couleur noble et symbole de longévité, pourra être utilisée pour toutes les occasions.

Les furoshiki sont ornés de nombreux motifs traditionnels que l'on retrouve par ailleurs sur l'ensemble des textiles japonais (kimono par exemple), ainsi que sur les laques, céramiques et autres objets artisanaux.

Les motifs végétaux prennent une grande part dans le décor des furoshiki. La fleur de cerisier *sakura* est très appréciée au printemps, la feuille d'érable *momiji* à l'automne. On retrouve aussi la fleur de prunier *ume*, très souvent associée au pin *matsu* et au bambou *take*, symboles tous trois de bon présage, ainsi qu'au motif de vagues enchevêtrées *seigaiha*.

Le motif d'arabesques *karakusa* sur fond vert, symbole de bonheur et prospérité, est également très prisé. On l'associe au chrysanthème *kiku*, symbole impérial de longévité et de vertu ou à la pivoine *botan*, symbole de noblesse.

Les motifs animaliers, de bons augures, sont fréquemment utilisés. Le lapin *usagi*, symbole de longévité et porte-bonheur, est associé à la pleine lune et aux plantes d'automne.
La croyance populaire veut qu'un lapin habite la lune. On peut le voir piler la pâte de riz gluant *mochi* dans un mortier. Il est donc naturellement lié à la fête de Tsukimi. On y admire et célèbre en famille la pleine lune d'automne, le 15e jour du 8e mois du calendrier lunaire (septembre ou octobre), tout en dégustant des boules de pâte de riz *dango mochi* et des fruits de saison.

La grue *tsuru*, symbole de longévité, de victoire et de bonnes nouvelles, côtoie la tortue *kame*, les trois amis de l'hiver (pin, bambou, prunier). Elle est souvent utilisée pour les anniversaires ou les mariages, tout comme le coquillage *kai-awase*, symbole de fidélité maritale.
La libellule *tonbo*, symbole de rapidité et de victoire, la carpe *koi*, mise à l'honneur pour sa force et sa persévérance lors de la fête des enfants, *koi nobori* du 5 mai, et le chat porte-bonheur *maneki-neko*, sont aussi des motifs récurrents.

On retrouve aussi des motifs plus géométriques. Parmi les plus connus, le motif de la feuille de chanvre *Asa-no-ha* est souvent associé au motif de peau de requin *same komon* sur les furoshiki réversibles. On peut aussi citer le motif du damier *ichimatsu* qui tire son nom d'un célèbre acteur de Kabuki de l'époque Edo et le motif en triangle *uroko*, écaille de poisson.

Enfin, de nombreux furoshiki sont ornés des armoiries familiales *kamon*, pratique généralisée depuis l'époque Edo, notamment à l'occasion des mariages au sein de familles nobles.

Il existe encore bien d'autres motifs traditionnels auxquels s'ajoutent aujourd'hui des motifs d'influences étrangères ainsi que des créations de jeunes designers japonais. Dans son usage quotidien, le furoshiki peut ainsi suivre les modes et les tendances actuelles.

À travers le monde

Vêtements, baluchons, portage des bébés, du matériel pour le travail des champs, des marchandises que l'on va vendre au marché. Le nouage d'un simple tissu a depuis longtemps été adopté dans le monde entier et perdure même dans nos sociétés industrielles. Qui n'a jamais transporté une tarte dans un torchon ou aperçu un bébé dans une écharpe de portage ?
Le Japon a su en faire une technique très élaborée, le furoshiki, où se mêlent autant le souci de l'esthétique que du pratique et qui rappelera des souvenirs à tous quelque soit sa culture.

Créer son furoshiki

Pour réaliser votre furoshiki, coupez un carré de la taille souhaitée en prévoyant au moins 1 cm de plus de chaque côté pour pouvoir faire l'ourlet.

Plusieurs options sont ensuite envisageables :

- Réalisez les ourlets à la main, technique pointue mais aux finitions invisibles.

- Réalisez les ourlets à la machine (assez rapide) : aux quatre côtés, faites un 1er repli d'environ 0,5 cm vers l'intérieur puis repliez à nouveau sur 0,5 cm en marquant les replis au fer à repasser. Piquez à la machine les quatre côtés.

- Coupez le carré aux ciseaux cranteurs pour éviter de faire des ourlets (très rapide) : faites attention à la matière utilisée ; les bords peuvent s'effilocher.

- Récupérez un foulard carré déjà ourlé : c'est l'idéal pour celles et ceux qui n'ont pas de matériel de couture.

Les nœuds

Les nœuds de base

La maitrise du nœud simple et du nœud plat est indispensable pour garantir la solidité d'un pliage furoshiki, surtout lorsqu'il s'agit de créer un sac de courses, un porte-bouteilles ou un sac à main.

Nœud simple : Hitotsu-musubi

1. Prenez l'extrémité d'une pointe dans une main. Autour de cette même pointe, faites coulisser vers le bas le pouce et l'index de l'autre main.
2. Formez une boucle en croisant la pointe sur elle-même.
3. Passez l'extrémité de la pointe dans la boucle.
4. Serrez en poussant le nœud vers le bas.

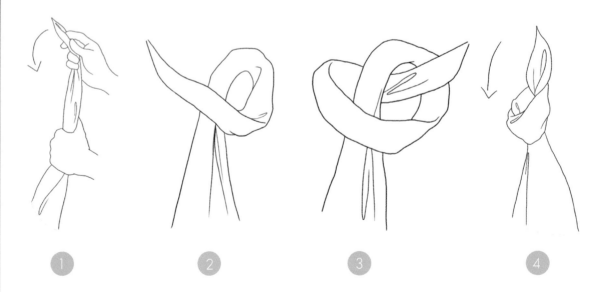

Nœud plat : Ma-musubi

1. Croisez la pointe **a** sur la pointe **b**.
2. Passez la pointe **a** autour de la **b** et faites-la ressortir de l'autre côté.
3. Croisez la pointe **a** sur la **b**.
4. Passez la pointe **a** autour de la **b** et faites-la ressortir de l'autre côté. Serrez.

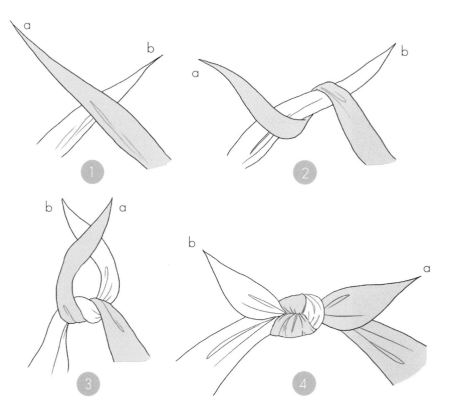

Enlever le nœud plat

1. Prenez la pointe **b** et tirez-la complètement vers la droite.
2. Faites coulisser les nœuds de la pointe **a** vers la droite.
3. Libérez la pointe **b**.

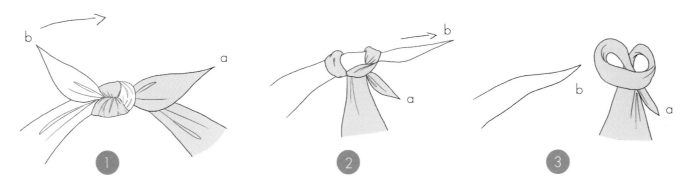

11

Anse coulissante pour sac : Tesage

1. Croisez la pointe **a** sur la pointe **b**.

2. Passez la pointe **a** autour de la **b** et faites-la ressortir de l'autre côté. Serrez.

3. Torsadez les pointes **a** et **b** (facultatif).

4. Faites un nœud plat avec l'extrémité des pointes **a** et **b**.

5. Pour ouvrir le sac, écartez les pointes **a** et **b** à la base du 1ᵉʳ nœud (l'anse rétrécit), deux trous s'ouvrent de chaque côté du nœud.

6. Pour refermer le sac, tirez de chaque côté de l'anse jusqu'à ce que les deux trous disparaissent.

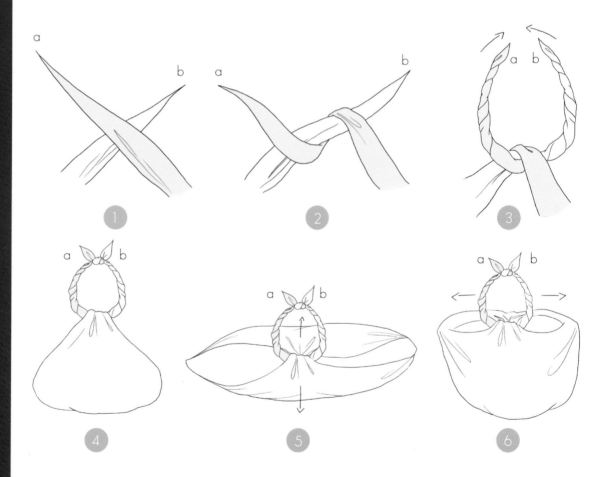

Les nœuds décoratifs

Ces nœuds sont plutôt utilisés pour les emballages cadeaux et permettent de varier l'esthétique du furoshiki au gré de ses envies.

Nœud à une boucle : Katanawa-musubi

1. Répétez les étapes 1 et 2 du nœud plat.
2. Formez une boucle avec l'extrémité **b**.
3. Croisez la pointe **a** sur la boucle **b** et passez-la dans le trou pour ressortir de l'autre côté.
4. Serrez.

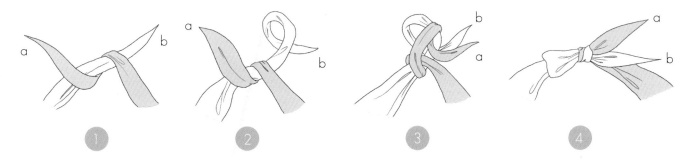

Nœud papillon : Chô-musubi

1. Répétez les étapes 1 et 2 du nœud plat.
2. Formez une boucle avec l'extrémité **b** et faites de même avec l'extrémité **a**.
3. Croisez la boucle **a** sur la boucle **b** et passez-la dans le trou pour ressortir de l'autre côté.
4. Serrez.

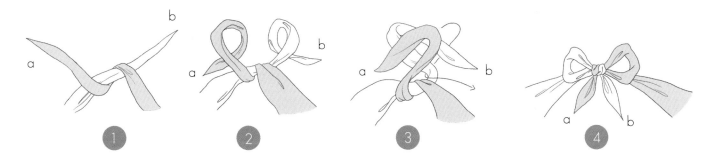

Le portage

Un simple furoshiki peut se décliner en une multitude de sacs et se révéler très pratique au quotidien. N'hésitez pas à en glisser un dans votre sac à main, il peut rendre de nombreux services ! Il se transforme en cabas pour les courses, en porte-bouteilles pour une soirée, en sac à pique-nique qui devient une nappe, en sac et en tapis à langer pour les enfants en bas-âge, etc.

Le furoshiki est également indispensable en voyage : peu encombrant, il pourra servir d'étole pour vous protéger du froid et du soleil, de sac à dos pour vos balades touristiques, de nappe lors d'une pause déjeuner sur l'herbe, de sac à main, de sac de plage ou de sac à souvenirs pour votre voyage de retour.

Certains pliages sont traditionnels, d'autres sont des adaptations à la vie moderne, mais tous ont en commun simplicité, rapidité et esthétique pratique.

Matières

Le choix du tissu est très important car il va déterminer l'utilisation du furoshiki. Un furoshiki en satin sera parfait pour une pochette de soirée mais peu adapté pour un sac de courses.

Le coton, très résistant, est recommandé pour le portage. Selon l'épaisseur du tissu, le sac sera plus ou moins fluide ou solide. Par exemple, un coton épais (type ameublement) sera un peu plus difficile à nouer, mais aura une bonne tenue et supportera mieux l'usure.

Le lin présente à peu près les mêmes caractéristiques que le coton mais se froisse davantage.

Le satin jacquard chinois peut être utilisé pour un sac à main très féminin ou pour l'emballage d'un cadeau.

Le tissu de réemploi est une solution écologique et économique. N'hésitez pas à ressortir les petits trésors de vos armoires. Paréos, foulards, draps, nappes, rideaux, chutes de tissus, ils feront de parfaits furoshiki.

Tailles

70 cm : une petite pochette de soirée.
90 cm : un sac pour petites courses, un plat à tarte.
105/118 cm : un sac multifonctions avec une bonne contenance. Pour une personne de grande taille, préférez un 118 cm.

Utilisations

Sac de courses, sac de plage, de piscine, de sport, sac-tapis à langer ou tapis d'éveil si l'on ajoute quelques petits accessoires ludiques. Ce sac « fourre-tout » se transforme aussi très facilement en sac à main (sac à anse torsadée ou sac bourse).

Variante

Sac avec nœuds extérieurs : pour transporter un plat à tarte, une boite à gâteaux ou une corbeille à fruits en toute stabilité.

Sac cabas 3 en 1 | Katakake-fukuro

Pliage

1. Étalez le furoshiki à l'endroit.

2. Ramenez la pointe **a** vers la pointe **c** de façon à former un triangle.

3. Prenez la pointe **b** et faites un nœud simple. Faites de même avec la pointe **d**.
Vérifiez que les longueurs des deux pointes, une fois nouées, sont égales. Si vos pointes sont grandes, votre sac sera étroit et profond. Si elles sont courtes, il sera large et peu profond.

4. Ouvrez les pointes **a** et **c** et retournez le sac. Mettez les deux nœuds simples dans le sac.

5. Prenez les pointes **a** et **c** et faites un mouvement de balancier pour former le sac.

6. Faites un nœud plat au sommet avec les pointes **a** et **c**.

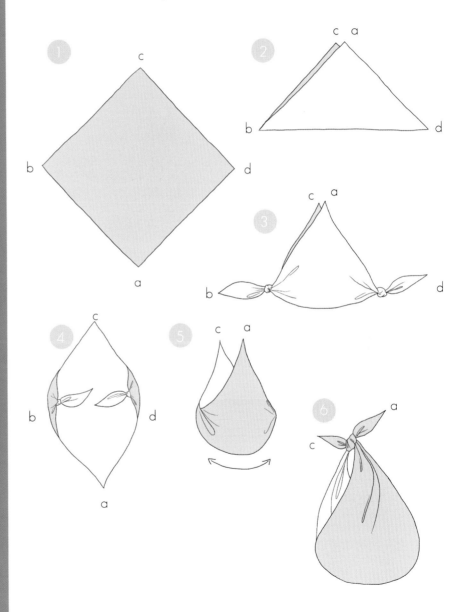

Sac à anse torsadée

1. Répétez les étapes 1 à 6.
2. Prenez l'anse de part et d'autre du nœud plat et torsadez à l'aide de vos pouces.
3. L'anse est plus marquée et le sac se ferme davantage que le pliage précédent.

Sac bourse

1. Répétez les étapes 1 à 5.
2. Faites une anse coulissante avec les pointes **a** et **c** (voir page 12).

Variante : sac avec nœuds extérieurs

1. Étalez le furoshiki à l'envers. Placez le plat au centre.
2. Faites un nœud plat au sommet avec les pointes **a** et **c**.
3. Enfilez votre bras sous le nœud plat pour que ce dernier ne tombe sur la tarte. Faites un nœud simple avec la pointe **b** pour maintenir le plat. Changez de bras et faites de même avec la pointe **d**.

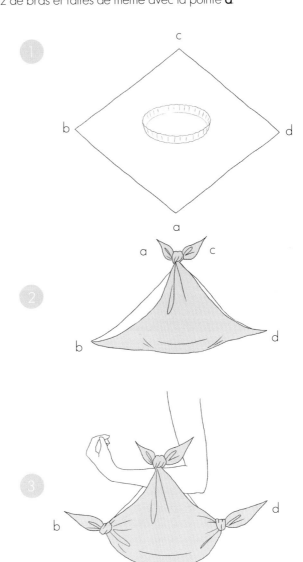

Sac en bandoulière Shorudâ-baggu

Tailles

105/118 cm : pour une personne de grande taille, préférez un 118 cm.

Utilisations

Sac très pratique en vélo ou si l'on souhaite porter des objets relativement lourds. L'esthétique de ce portage convient bien aux hommes ou aux adolescents.

Variante

Sac avec 2ᵉ anse coulissante : il peut se porter dans le dos mais surtout sur l'épaule, plus féminin, en jouant sur la 2ᵉ anse.

Pliage

1. Étalez le furoshiki à l'envers. Placez les objets au centre.
2. Faites un nœud plat avec les pointes **a** et **c** en serrant bien le 1ᵉʳ nœud pour maintenir le contenu.
3. Prenez les pointes **b** et **d** et passez le sac dans votre dos en laissant une pointe sur l'épaule et l'autre sous l'aisselle opposée.
4. Faites un nœud plat sur la poitrine avec les pointes **b** et **d**.

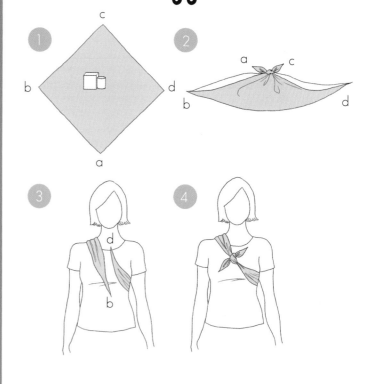

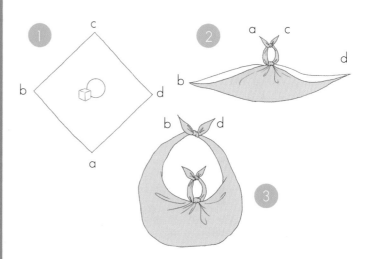

20

Variante : sac avec 2ᵉ anse coulissante

1. Étalez le furoshiki à l'envers. Placez les objets au centre.

2. Faites une anse coulissante avec les pointes **a** et **c** (voir page 12) en serrant bien le 1ᵉʳ nœud pour maintenir le contenu.

3. Faites un nœud plat au sommet avec les pointes **b** et **d** et enfilez le sac sur l'épaule. Laissez l'anse coulissante apparente ou cachée selon votre envie. Vous pouvez également l'enfiler sur l'épaule avec la 1ʳᵉ anse.

Sac de transport à deux anses coulissantes
Kyarû-baggu

Tailles

90 cm : un petit panier, pour un pique-nique individuel.

105/118 cm : pour un pique-nique collectif, un sac à main, un sac à langer, etc.

140 cm : pour accrocher aux bâts des ânes de randonnée ou pour les courses du mois.

Utilisations

Panier pour les courses, le pique-nique (dénoué, il sert de nappe), le ramassage de fruits. Ses anses coulissantes peuvent facilement s'accrocher aux poignées des poussettes, des fauteuils roulants, des valises, etc. Il est également très pratique en sac à main.

Pliage

1. Étalez le furoshiki à l'envers.
2. Faites une anse coulissante (voir page 12) avec les pointes **a** et **b** en serrant le 1er nœud jusqu'au bout.
3. Répétez l'étape 2 avec les pointes **c** et **d**.
4. Pour ouvrir le sac en grand, il vous suffit d'écarter les côtés **ad** et **bc**. Refermez-le en tirant sur les deux côtés de chaque anse.

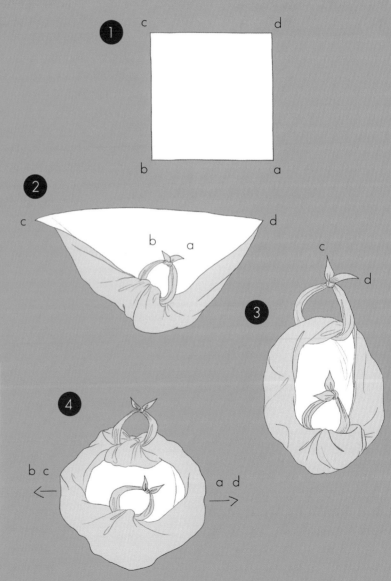

Sac-panier à deux anses - *Kago-baggu*

Tailles

90/105/118 cm : la taille du furoshiki dépend de
ce que l'on veut mettre dans le panier (voir pliage
précédent).

Utilisations

Sac aux formes arrondies, à porter à la main comme
un panier, pour aller au marché par exemple. Ses
anses et son ouverture centrale sont fixes.

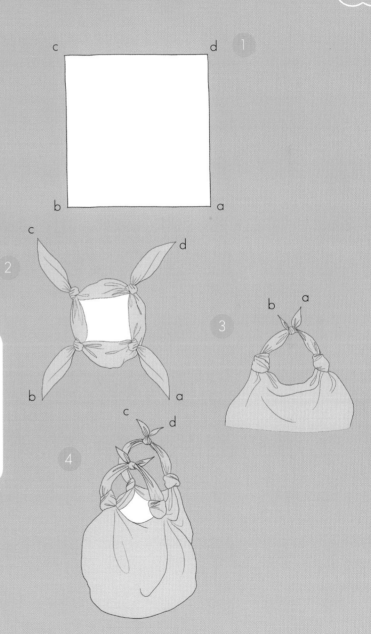

Pliage

1. Étalez le furoshiki à l'envers.
2. Faites un nœud simple aux quatre pointes **a**, **b**, **c**, **d**.
3. Faites un nœud plat au sommet avec les pointes **a**
et **b** de façon à faire une anse.
4. Répétez l'étape 3 avec les pointes **c** et **d**.

Sac de plage - *Bîchi-baggu*

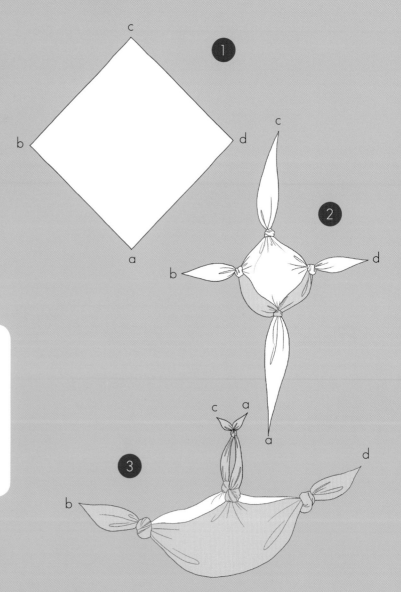

Tailles

105/118 cm : pour une personne de grande taille,
préférez un 118 cm minimum.

Utilisations

Sac tout en longueur, à porter sur l'épaule, pour
transporter ses affaires de plage (serviette, natte,
maillot, crème solaire, magazines, etc.).

Pliage

1. Étalez le furoshiki à l'envers.
2. Faites un nœud simple aux quatre pointes. Une
fois nouées, les pointes **a** et **c** doivent être plus
longues (environ le double des pointes **b** et **d**).
3. Faites un nœud plat au sommet avec les pointes
a et **c** de façon à faire une anse.

26

Sac à dos - *Ryukku 1*

Tailles

118 cm : pour un adulte ou un adolescent, préférez un 118 cm minimum.

Utilisations

Sac à dos idéal pour une petite balade, pour porter une charge un peu lourde (le poids est bien réparti sur les deux anses) ou à utiliser en sac de sport.

Pliage

1. Étalez le furoshiki à l'envers.
2. Prenez les pointes **a** et **c** et faites un nœud au sommet (voir étapes 1 et 2 du nœud plat). Serrez légèrement.
3. Prenez les pointes **a** et **b** et faites un nœud plat au sommet. Faites de même avec les pointes **c** et **d**. Faites coulisser le tout 1er nœud pour agrandir ou rétrécir les deux anses du sac à dos.

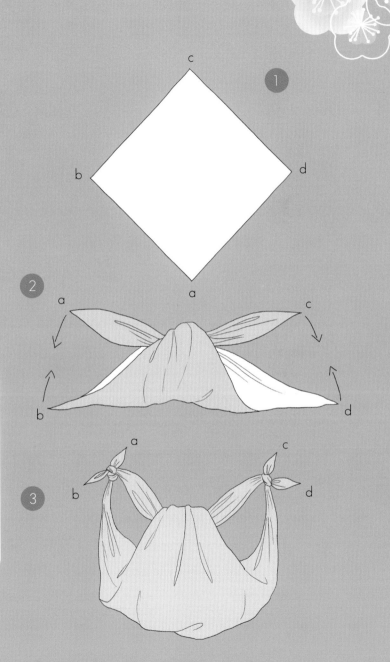

Sac à dos 2 - *Ryukku 2*

Tailles

Utilisez deux furoshiki.
Un furoshiki de 105/118 cm + un 90 cm : pour un homme ou une personne de grande taille.
Un furoshiki de 90 cm + un 70 cm : pour une femme ou un adolescent.

Utilisations

Sac à dos réalisé avec deux furoshiki. L'utilisation est la même que pour le sac précédent mais possède une plus grande contenance. N'hésitez pas à coordonner vos deux furoshiki pour un meilleur rendu.

Pliage

Anses :

1. Étalez le petit furoshiki à l'envers.
2. Ramenez les pointes **a** et **c** vers le centre et pliez encore deux fois chaque côté vers le centre.
3. Pliez les deux côtés l'un sur l'autre.

Sac :

1. Étalez le grand furoshiki à l'envers.
2. Ramenez la pointe **A** vers la pointe **C** de façon à former un triangle.
3. Faites un nœud (voir étapes 1 et 2 du nœud plat) et serrez jusqu'à obtenir environ 15 cm de pointes.
4. Placez le milieu des anses sur le nœud précédent et faites un nœud plat par-dessus avec les pointes **A** et **C** pour bloquer le milieu des anses.
5. Faites un nœud plat avec les pointes **b** et **B** et faites de même avec les pointes **d** et **D**.

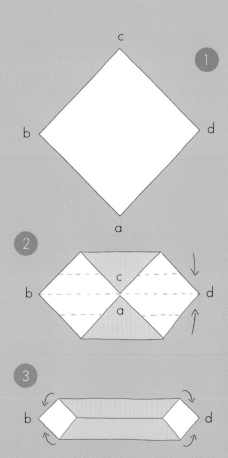

Sac à main - *Hando-baggu*

Tailles

105/118 cm : pour une personne de grande taille, préférez un 118 cm minimum.

Utilisations

Il est agréable de pouvoir changer de forme de sac à main en fonction de ses humeurs ou de ses envies, sans pour autant être obligé de racheter un sac.

Pliage

1. Étalez le furoshiki à l'envers.
2. Faites un nœud plat avec les pointes **a** et **b** (serrez le 1ᵉʳ nœud jusqu'au bout en tirant sur la pointe **b** afin qu'elle soit plus grande, puis faites le 2ᵉ nœud). La pointe **b** est toujours plus grande.
3. Répétez l'étape 2 avec les pointes **c** et **d**. La pointe **d** est toujours plus grande.
4. Faites un nœud plat au sommet avec les pointes **b** et **d**.

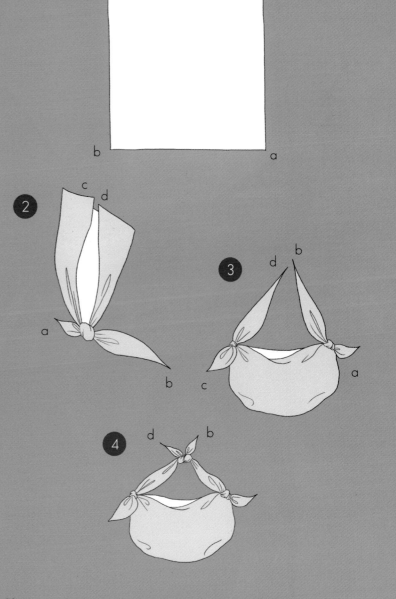

Tailles

90 cm : pour envelopper un sac à main de taille standard.
105/118 cm : pour faire un sac avec deux anneaux ou une anse à anneaux.

Utilisations

Idéal pour customiser son vieux sac, le faire changer d'apparence autant de fois que l'on veut, tout en gardant la structure rigide et organisée de son sac préféré.

Variantes

Utilisez simplement deux anneaux (bois, métal, plastique, etc.) ou une anse (cuir, tissu, corde, plastique, fausse fourrure, etc.). On peut ainsi jouer sur la forme et le style : pourquoi pas une anse à strass pour une soirée chic ?

Pliage

1. Étalez le furoshiki à l'envers. Posez le sac à main debout au centre, les deux anses parallèles aux côtés **ab** et **cd**.
2. Glissez les pointes **a** et **b** à l'intérieur de la 1re anse et faites-les ressortir sur le devant en tendant bien le furoshiki.
3. Faites un nœud plat.
4. Répétez les étapes 2 et 3 avec les pointes **c** et **d**.

Enveloppe de sac à main
Kisekae-baggu

Variante avec deux anneaux

1. Étalez le furoshiki à l'envers.
2. Répétez les étapes 2 à 4 du pliage ci-dessus autour des anneaux.

Variante avec sac à une anse

1. Étalez le furoshiki à l'envers. Posez votre sac à main au centre, l'anse parallèle aux côtés **ad** et **bc**.
2. Répétez les étapes 2 à 4 du pliage ci-dessus autour des deux anneaux de l'anse (on peut remplacer le nœud plat par un nœud papillon (voir page 13) ou bien utiliser un élastique pour créer une fleur (voir page 73).
3. On peut aussi utiliser une simple anse avec un anneau à chaque extrémité plutôt qu'un sac.

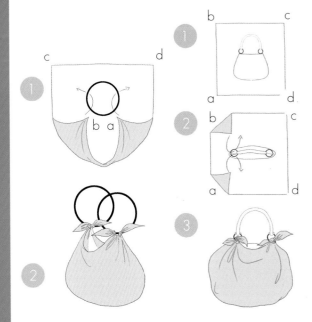

Sac ordinateur portable - *Nôtopasokon-tsutsumi*

Tailles

105 cm : pour un ordinateur portable, une boite d'archives, un grand classeur ou une boite à chaussures.

Utilisations

Un peu de fantaisie pour transporter votre ordinateur portable ! Une fois dépliée, cette housse vous permettra de vous asseoir n'importe où, sur une pelouse, une plage et de pianoter tranquillement sur votre ordinateur.

Ce pliage convient également pour le transport des boites d'archives, boites à chaussures ou tout autre objet rectangulaire et épais.

Variante

Sac de bibliothèque : pour porter des livres grand format (beaux-arts, albums jeunesse, bandes dessinées, revues, etc.).

Pliage

1. Étalez le furoshiki à l'envers. Placez l'ordinateur portable, la souris et l'alimentation juste au-dessus de la diagonale **bd**.
2. Ramenez la pointe **a** vers la pointe **c** pour faire un triangle.
3. Faites un nœud plat avec les pointes **b** et **d** en serrant pour bien maintenir l'ordinateur.
4. Faites une anse coulissante (voir page 12) avec les pointes **a** et **c**.

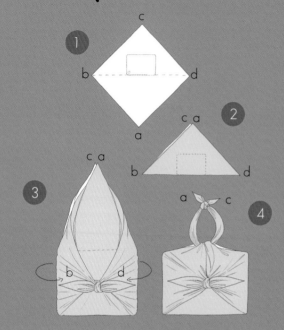

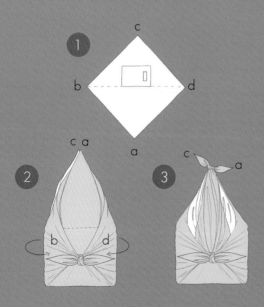

Variante : sac de bibliothèque

1. Étalez le furoshiki à l'envers. Placez les livres du plus grand au plus petit juste au-dessus de la diagonale **bd**.

2. Répétez les étapes 2 et 3 du pliage précédent.

3. Faites un nœud plat au sommet avec les pointes **a** et **c**.

Pour plus de rapidité au comptoir de prêt, préparez à l'avance un triangle avec un nœud plat au sommet, puis glissez les livres au fur et à mesure dans le furoshiki. Faites un nœud plat avec les pointes **b** et **d** pour maintenir les livres.

Porte-livre - *Hon-tsutsumi 1*

Tailles

90 cm : pour un livre grand format.
105 cm : pour plusieurs livres grands formats
et de même taille.

Utilisations

Ce pliage est à la fois un sac et un emballage cadeau. On peut transporter le livre et l'offrir directement. Possibilité de porter de petits tableaux, des
miroirs, ou vinyles.

Pliage

1. Étalez le furoshiki à l'envers. Placez le livre à la
verticale juste au-dessus de la diagonale **bd**.
2. Ramenez la pointe **a** vers la pointe **c** pour faire un
triangle et faites un nœud plat au sommet.
3. Relevez le livre contre vous. Croisez les pointes
b et **d** au milieu du livre et faites-les revenir sur le
devant.
4. Reposez le livre et faites un nœud plat avec les
pointes **b** et **d** en tendant bien le furoshiki de façon à
maintenir le livre.
Pour transporter le livre, écartez les deux pointes **a**
et **c** sous le nœud plat et passez votre bras de façon
à ce que le nœud formé par les pointes **b** et **d** soit
dirigé vers l'extérieur.

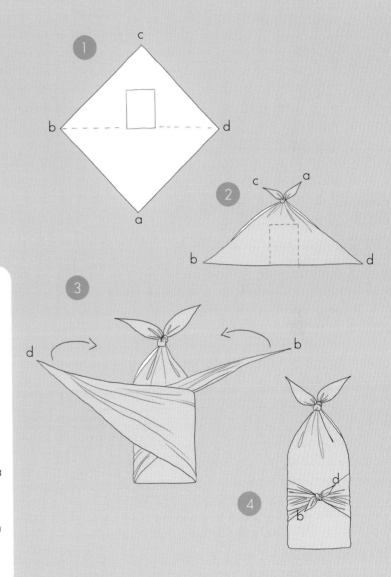

Porte-livres - *Hon-tsutsumi 2*

Tailles

70 cm : pour des livres poche
(21 x 15 x 1,5 cm maxi).
90 cm : pour des livres moyen format
(29 x 20 x 1,5 cm maxi).
105 cm : pour des livres grand format
(32 x 24 x 5 cm maxi).

Utilisations

Ce pliage permet de porter des livres, revues ou autres objets plats qui vont par paire (tomes 1 et 2 par exemple). Il est aussi utile en tant qu'emballage cadeau et tient très bien sous le sapin de Noël.

Pliage

1. Étalez le furoshiki à l'envers. Placez au centre, de part et d'autre de la diagonale **ac**, deux livres d'une même taille en laissant un espace entre les deux d'environ 3-4 cm.
2. Rabattez 1 à 2 fois chaque livre (dépend de la taille du livre) vers les pointes extérieures **b** et **d**.
3. Rabattez les pointes **b** et **d** sur chaque livre.
4. Enroulez les livres pour revenir à leur place initiale.
5. Croisez la pointe **a** et la pointe **c** en tendant bien le furoshiki. Rabattez le livre de gauche sur celui de droite.
6. Relevez les livres. Torsadez les pointes **a** et **c** et faites un nœud plat au sommet.

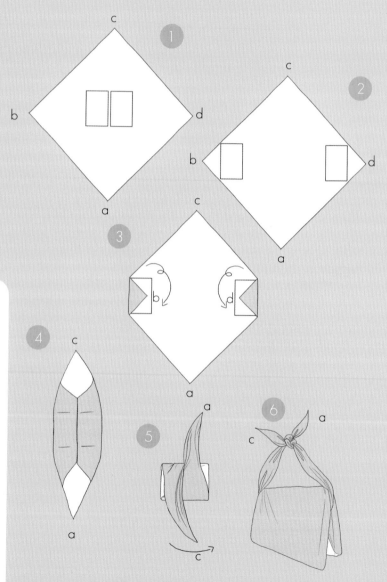

Porte-bouteilles - *Bin nihon-tsutsumi 1*

Tailles

70 cm : pour des biberons, des boites à thé
ou à café.
90 cm : pour des bouteilles de vin, d'eau, de jus,
de lait, une paire de chaussures.
105 cm : pour toutes les bouteilles, même les
magnums.

Utilisations

Adapté à tout type de bouteilles, en plastique ou en
verre. Idéal en soirée, en pique-nique ou en voyage
car les bouteilles sont bien protégées. Une paire
de chaussures pourra être emballée de la même
manière.

Pliage

1. Étalez le furoshiki à l'envers. Couchez les deux
bouteilles sur la diagonale **bd** en laissant un espace
entre les deux d'environ 3-4 cm.
2. Ramenez la pointe **a** vers la pointe **c** en laissant
un écart d'environ 5 cm entre les deux pointes.
3. Roulez les deux bouteilles jusqu'au sommet en évi-
tant les plis. Coincez les pointes **a** et **c** dans l'espace
entre les bouteilles en relevant ces dernières à la
verticale.
4. Faites une anse coulissante avec les pointes **b**
et **d** (voir page 12) en serrant le 1er nœud jusqu'aux
bouchons.

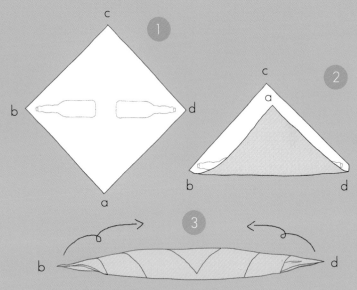

Porte-bouteilles 2 - *Bin nihon-tsutsumi 2*

Tailles

50 cm : pour des canettes, des pots de confiture, des conserves, des boites à thé ou à café, une petite bouteille d'huile ou de vinaigre, etc.
70 cm : pour des bouteilles de vin, de jus, d'eau, de lait, etc.

Utilisations

Adapté à tout type de bouteilles, en plastique ou en verre. Parfait si l'on veut prendre deux bouteilles chez le caviste car ce pliage n'encombre pas le comptoir. Plaisant aussi en décoration de table.

Pliage

1. Étalez le furoshiki à l'envers. Posez les deux bouteilles à la verticale au milieu de la diagonale **bd**.
2. Faites une anse coulissante (voir page 12) avec les pointes **a** et **c** en serrant le 1er nœud jusqu'à la naissance du col.
3. Faites un nœud simple avec la pointe **b** en serrant pour maintenir la bouteille. Faites de même avec la pointe **d**.

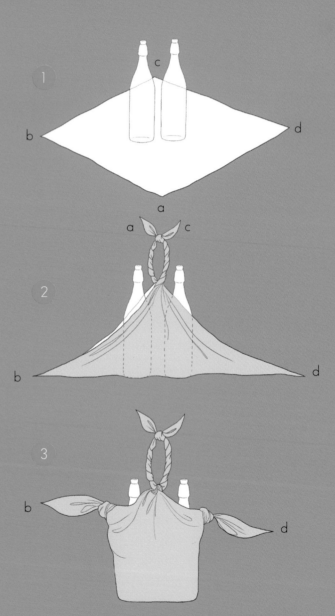

Porte-pastèque - *Suika-tsutsumi*

Tailles

50 cm : pour un ballon de 32 cm de circonférence, un fruit rond (pomme, orange, petit melon).
70 cm : pour un ballon de 66 cm de circonférence, un gros melon, une petite pastèque.
90 cm : pour un ballon de 66 cm (anse plus grande) à 84 cm de circonférence, un chapeau, une raquette de badminton, une grosse pastèque.
105 cm : pour une raquette de tennis.

Utilisations

Traditionnellement destiné au portage des pastèques, on peut aujourd'hui l'utiliser lorsqu'on pratique un sport de raquette ou de ballon.

Pliage

1. Étalez le furoshiki à l'envers. Posez le fruit ou le ballon au centre.
2. Faites un nœud plat avec les pointes **a** et **b** au sommet.
3. Faites de même avec les pointes **c** et **d**. Passez le nœud **cd** dans l'espace laissé sous le nœud **ab**.
4. Tendez et torsadez l'anse.

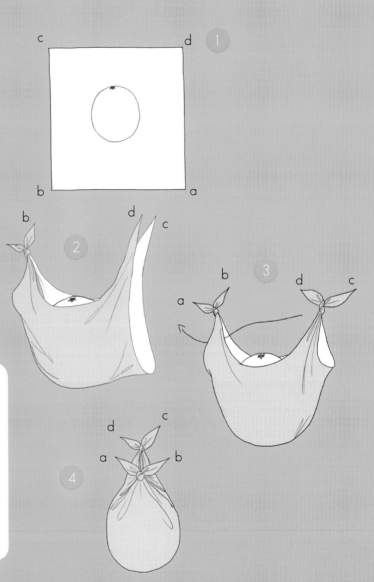

Etui à guitare - *Gitâ-tsutsumi*

Tailles

À partir de 150 cm : dépend de la taille de la guitare.

Utilisations

Une fois dénoué, vous pourrez vous asseoir sur votre furoshiki et pousser la chansonnette aussi bien à la ville qu'à la plage. Pour d'autres instruments plus petits et fragiles, gardez leur housse rigide (violon, clarinette, ukulélé, etc.) avant de les emballer dans un furoshiki de taille inférieure.

Pliage

1. Étalez le furoshiki à l'envers. Posez la guitare, cordes contre le furoshiki sur la diagonale **bd**.
2. Croisez les pointes **a** et **c**, retournez l'instrument, et faites revenir les pointes sur le devant.
3. Faites un nœud plat serré pour maintenir la guitare.
4. Retournez le furoshiki avec la guitare et faites un nœud plat avec les pointes **b** et **d**.

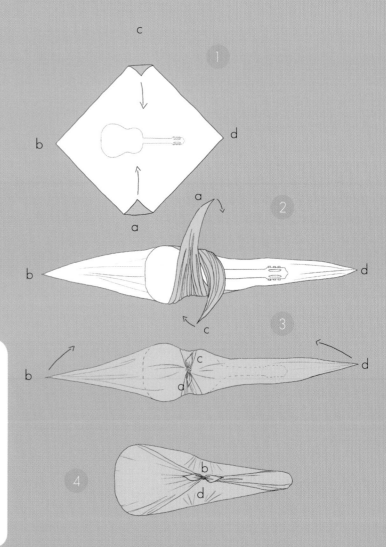

Porte-affiche - *Posutâ-tsutsumi*

Tailles

90 cm : pour une baguette de pain.
118/130 cm : pour un tube à affiches, un parapluie, une tente deux places, un tapis de sol, un sac de couchage plié bien serré.

Utilisations

Ce pliage peut être utilisé pour transporter des plans, dessins, affiches, kakemonos ou tout autre objet cylindrique.

Pliage

1. Étalez le furoshiki à l'envers. Posez votre objet long sur la diagonale **bd**.
2. Croisez les pointes **a** et **c** (la pointe **a** passe à droite de la pointe **c**) en tendant le furoshiki.
3. Croisez les pointes **a** et **b**, retournez l'objet et faites revenir les pointes sur le devant pour faire un nœud plat.
4. Répétez l'étape 3 avec les pointes **c** et **d**.

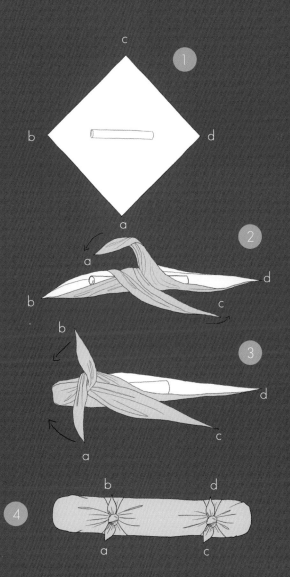

Porte-plante - *Ueki-tsutsumi*

Tailles

50 cm : pour un pot de 10 cm de diam.
x 10 cm de haut.
70 cm : pour un pot de 18 cm de diam.
x 15 cm de haut.
90 cm : pour un pot de 26 cm de diam.
x 20 cm de haut.
105/118 cm : pour un pot de 36 cm de diam.
x 25 cm de haut.

Utilisations

Pour transporter une plante en pot, l'offrir ou
la suspendre (attention à ne pas suspendre une
charge trop lourde).

Pliage

1. Étalez le furoshiki à l'envers. Rabattez les
pointes **a** et **c** vers le milieu de façon à avoir une
hauteur équivalente au pot. Posez le pot au centre.
2. Rabattez les deux côtés sur le pot. Pincez les
deux pointes **b** et **d** à la base du pot.
3. Torsadez.
4. Faites un nœud plat au sommet avec les pointes
b et **d**.

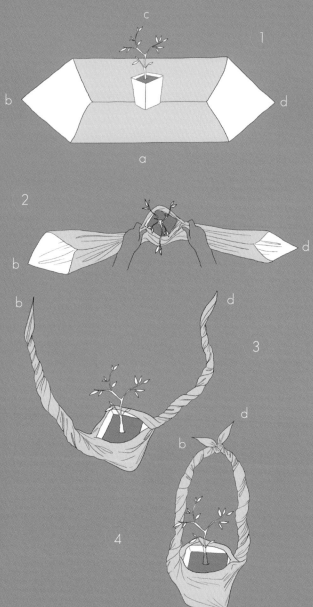

Tailles

50 cm : pour porter de petits objets à la ceinture.

Utilisations

Très utile pour garder sur soi son appareil photo compact, son téléphone portable ou tout autre petit objet (clés, porte-monnaie) si l'on n'a pas de poches ou si l'on veut éviter de les déformer.

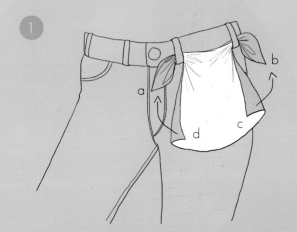

Pliage

1. Glissez la pointe **a** dans un passant de pantalon puis la pointe **b** dans le passant suivant.
2. Ramenez la pointe **d** vers la pointe **a** et faites un nœud plat. Faites de même avec les pointes **c** et **b**.

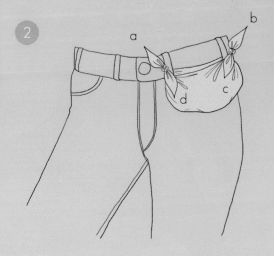

Les emballages cadeaux

Le furoshiki est une alternative originale au papier-cadeau. Sa souplesse permet même de l'adapter à toutes sortes de formes irrégulières, souvent difficiles à emballer.

En règle générale, on place d'abord le cadeau dans une boite puis on l'enveloppe dans un furoshiki. Cependant, pour une démarche plus écologique et économique, il est tout à fait possible de ne pas utiliser de boite et d'emballer directement l'objet.

La qualité esthétique de l'emballage est primordiale pour un cadeau. Il faut donc penser à bien soigner ses nœuds (ni trop lâches, ni trop serrés) et arranger les pointes. On peut jouer sur l'envers de celles-ci si l'on utilise un tissu réversible.

Le furoshiki présente un avantage certain sur le papier : le droit à l'erreur existe puisqu'on peut le repasser. Ainsi, il faudra peut-être plusieurs essais avant de trouver le bon pliage en parfait accord avec la forme de l'objet, la matière et l'imprimé du tissu.

Si le furoshiki de portage doit pouvoir se faire rapidement, le furoshiki d'emballage doit se faire dans un moment propice au calme, à la créativité et au partage.

Conseil

Pour choisir la taille de son furoshiki, il faut pouvoir placer dans la diagonale de celui-ci l'équivalent de trois fois l'objet à emballer. Si le furoshiki présente un motif principal sur l'une des quatre pointes, cette pointe devra être placée en pointe **c** (voir le croquis *Otsukai-tsutsumi*) afin de le retrouver sur le devant, une fois le pliage terminé.

Matières

On peut pratiquement tout se permettre pour un emballage cadeau, excepté les matières trop épaisses qui rendent les nœuds disgracieux et difficiles à réaliser.

La soie, le crêpe de soie, de polyester ou de rayonne sont particulièrement appréciés pour leur aspect raffiné et chatoyant. On peut également utiliser du satin.

Le coton, voile de coton ou le lin conviennent aussi bien pour les cadeaux que pour l'emballage d'objets de la vie quotidienne (boite à déjeuner, à mouchoirs, corbeilles, etc.).

Le tissu polaire peut être utilisé pour des cadeaux enfants de grande dimension. Une fois déplié, il pourra servir de couverture, de cape ou de nappe à dinette.

Très couramment utilisé, le furoshiki réversible et bicolore en polyester, soie ou coton, permet de jouer sur l'alternance des couleurs.

Le tissu de réemploi est aussi parfait pour l'emballage : foulards carrés en soie ou synthétique, bandanas, petits mouchoirs brodés, serviette et chutes de tissu.

Tailles

50 cm : pour boite à bento, boite à bijoux, ballotin de chocolats, boite ou objet de 20 x 14 x 7 cm max.
70 cm : le plus modulable. Pour une boite ou objet de 23 x 17 x 10 cm env.

Utilisations

Pliage traditionnel simple pour emballer un cadeau, une boite à déjeuner, un vêtement, etc.

Variantes

Emballage avec nœud caché *Kakushi-tsutsumi* : il permet de mettre en valeur un motif principal placé sur le dessus du cadeau.

Pliage

1. Étalez le furoshiki à l'envers. Posez la boite au centre.
2. Rabattez la pointe **a** sur la boite.
3. Rabattez la pointe **c** sur la boite (la pointe peut légèrement dépasser mais pas trop. Si c'est le cas, décalez la boite vers la pointe **c** avant de rabattre cette dernière).
4. Prenez les pointes **b** et **d** en marquant bien les plis de côtés.
5. Faites un nœud plat sur la boite avec les pointes **b** et **d**.

Emballage avec pointe - *Otsukai-tsutsumi*

Variante : Kakushi-tsutsumi

1. Répétez les étapes 1 à 5 du pliage précédent en laissant dépasser la pointe **c** plus largement.

2. Dépliez complètement la pointe **c** puis rabattez-la sur le nœud.

3. Glissez l'extrémité de la pointe **c** sous la boite.

On peut aussi choisir de rentrer la pointe **c** sous le nœud après l'étape 2.

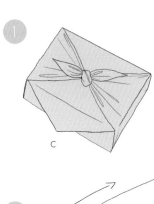

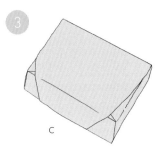

Emballage à quatre pointes - *Yotsu-musubi*

Tailles

50 cm : pour boite ou objet de 13 x 13 x 4 cm.

70 cm : pour objet de 24 x 24 x 7 cm max., boite ronde de confiseries, ballon de 66 cm de circonférence.

90 cm : pour boite ronde de 28 cm de diam. x 16 cm de haut (boite à chapeau par exemple), boite carrée de 20 x 20 x 26 cm env., coussin de 40 x 40 cm env., ballon de 84 cm de circonférence.

Utilisations

Cet emballage convient surtout pour des formes carrées ou rondes (boites, plats, pile d'assiettes, cousins, pulls, écharpes, etc.).

Pliage

1. Étalez le furoshiki à l'envers. Posez la boite au centre.

2. Croisez la pointe **a** sur la pointe **c** et passez la pointe **a** autour de la pointe **c** pour ressortir de l'autre côté. Serrez le nœud sur la boite.

3. Croisez la pointe **c** sur la pointe **a** et passez la pointe **c** autour de la pointe **a** pour ressortir de l'autre côté. Serrez.

Attention ! Ce double-nœud, plus communément appelé « nœud de vache » est seulement utilisé pour son caractère esthétique (pointes perpendiculaires au nœud plat qui vient se placer au-dessus). Peu résistant, il est à éviter pour le portage.

4. Faites un nœud plat avec les pointes **b** et **d** sur le nœud précédent.

5. On obtient alors un effet de nœud à quatre pointes.

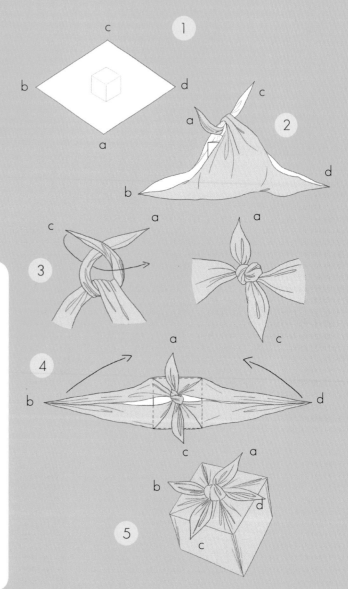

Emballage long - *Futatsu-tsutsumi*

Tailles

50 cm : pour une paire de gants, une paire de lunettes.

70 cm : pour des objets longs et étroits de 33 x 8 x 8 cm ou 28 x 15 x 10 cm env.

Utilisations

Cet emballage permet d'utiliser une surface de tissu moins grande pour un objet long. On peut ainsi emballer un jeu de diabolo, un plat à cake, un jeu de dominos, une boite à chaussures, etc.

Pliage

1. Étalez le furoshiki à l'envers. Posez la boite au centre.
2. Croisez les pointes **a** et **c** (la pointe **a** passe à gauche de la pointe **c**).
3. Faites un nœud plat sur la boite avec les pointes **c** et **b** en tendant le furoshiki.
4. Faites de même avec les pointes **a** et **d**.

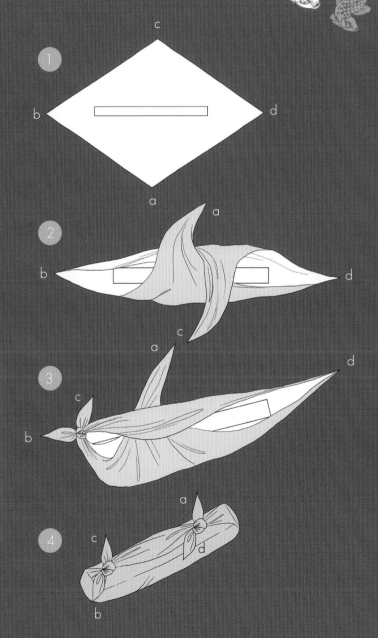

Tailles

70 cm : pour une boite ou un objet de 23 x 18 x 10 cm env.

Utilisations

Bel effet décoratif que l'on peut utiliser sur tout type de cadeau. On pourra jouer sur l'envers et l'endroit avec un furoshiki réversible.

Variantes

Avec un tissu un peu rigide, on peut tout à fait dresser les deux pointes du milieu. Avec un furoshiki réversible, on peut aussi choisir de rentrer une seule pointe et de laisser retomber l'autre comme une feuille.

Pliage

1. Étalez le furoshiki à l'envers. Posez la boite au centre.
2. Prenez les extrémités des pointes **a** et **c** dans une main et faites coulisser votre autre main autour des pointes jusqu'à la boite.
3. Lâchez les extrémités **a** et **c** et passez la pointe **d** sous le poignet pour la faire revenir vers l'arrière du cadeau. Faites de même avec la pointe **b** en la croisant sur la pointe **d**.
4. Faites un nœud (étapes 1 et 2 du nœud plat) avec les pointes **b** et **d**.
5. Rentrez les deux extrémités des pointes **a** et **c** à l'intérieur du nœud.
6. Arrangez les plis de façon à former une fleur.

Emballage fleur
Hana kazari-fukuro

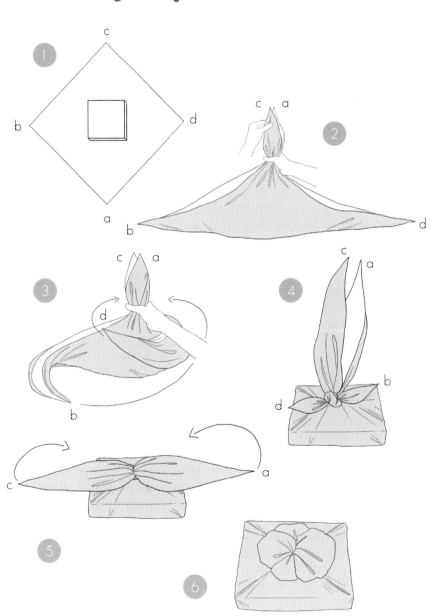

Variante : pointes dressées

Répétez les étapes 1 à 4 puis dressez les deux pointes du milieu.

Variante : pointe rentrée

Répétez les étapes 1 à 4 puis rentrez l'extrémité **c** à l'intérieur du nœud.

Emballage boite ronde - *Kashibako-tsutsumi*

Tailles

70 cm : pour boite de confiseries ronde.
90/105 cm : pour plat à tarte, boite à chapeau.

Utilisations

Pliage assez sophistiqué, il demande un peu d'entrainement mais est très pratique pour emballer des plats, des boites rondes ou carrées.

Pliage

1. Étalez le furoshiki à l'envers. Posez la boite au centre.
2. Rabattez la pointe **c** sur la boite et faites des fronces en partant de la gauche vers la droite. Laissez environ 25 cm de pointe de chaque côté de la boite.
3. Tenez les fronces d'une main. Prenez la pointe **d** de l'autre main pour la passer sous le poignet et faites-la revenir vers l'arrière de la boite. Faites de même avec la pointe **b** en la croisant sur la pointe **d**.
4. Faites un nœud (étapes 1 et 2 du nœud plat) avec les pointes **b** et **d**.
5. Prenez la pointe **a**, tendez le furoshiki et faites un nœud simple pour maintenir la boite.

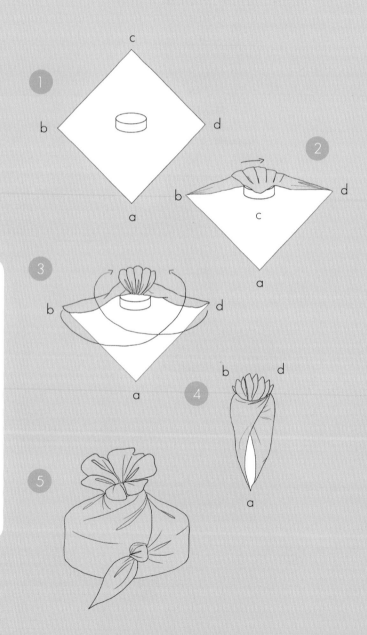

Emballage livre - *Sao-tsutsumi*

Tailles

50 cm : pour un CD.

70 cm : pour un livre poche, un DVD, un écrin à bijoux, un petit cylindre.

90 cm : pour un livre moyen format, une boite plate (30 x 17 x 3 cm env.), une paire de baguettes pour batterie.

Utilisations

Ce pliage est parfait pour emballer un objet plat ou cylindrique. L'emballage des objets plats présente la particularité d'offrir un rendu légèrement incliné, donnant l'impression d'être posé sur un présentoir.

Pliage

1. Étalez le furoshiki à l'envers. Posez le livre à l'horizontale près de la pointe **a**.

2. Rabattez l'extrémité de la pointe **a** sur le livre et coincez-la dessous.

3. Enroulez le livre vers la pointe **c**, puis rabattez-la sur le livre.

4. Croisez les pointes **b** et **d**, retournez le livre, et faites revenir les pointes sur le devant.

5. Faites un nœud plat.

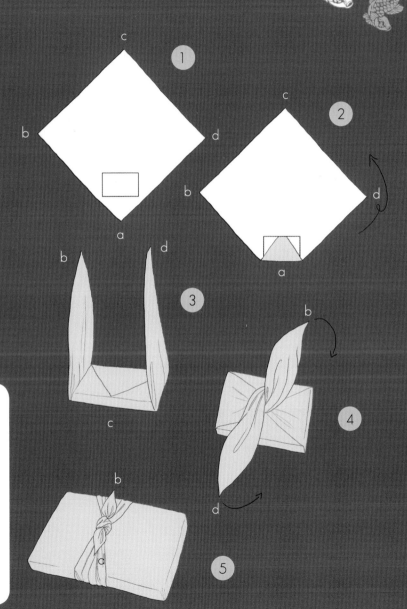

Emballage livre 2 - *Ribon-tsutsumi*

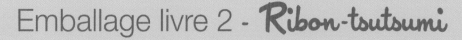

Tailles

50 cm : pour un livre de poche, un DVD ou un CD.
70 cm : pour un objet de 30 x 17 x 3 cm env.
90 cm : pour un jeu de société ou un objet de
37 x 27 x 6 cm env.

Utilisations

On peut utiliser ce pliage pour les mêmes objets que
le pliage précédent, ainsi que pour un cadre photo, un
tableau ou un jeu de société.

Pliage

1. Étalez le furoshiki à l'envers. Posez le livre près de
la pointe **a** puis rabattez l'extrémité de cette dernière
sur le livre.
2. Rabattez la pointe **b** sur le livre et faites pivoter le
livre une fois vers la pointe **c**.
3. Faites un nœud plat avec les pointes **c** et **d** en serrant le 1ᵉʳ nœud sur le livre.
4. Arrangez votre nœud.

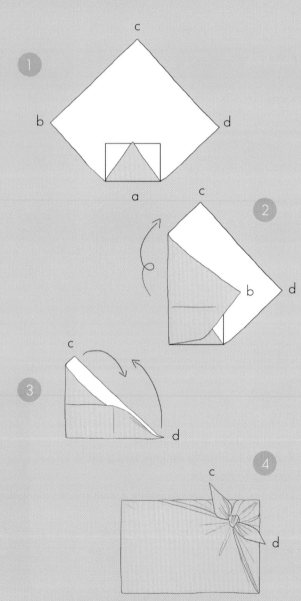

Tailles

50 cm : pour une petite bouteille ou une gourde de 25 cl.
70 cm : pour une bouteille (jus, eau, vin, champagne, etc.), une gourde ou un thermos.

Utilisations

Ce pliage convient aussi bien en portage qu'en emballage cadeau. La personne qui recevra ce présent pourra facilement réutiliser le furoshiki en apportant une bouteille chez des amis ou le porter en foulard si vous avez opté pour une matière fluide et sophistiquée.

Variante

Emballage bouteille avec fleur : avec un furoshiki réversible, la fleur peut être d'une couleur différente du corps de la bouteille.

Emballage bouteille - *Bin ippon-tsutsumi 1*

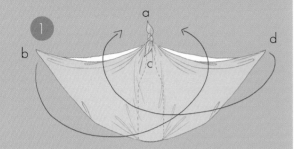

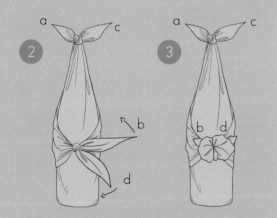

Variante :
emballage bouteille avec fleur

1. Répétez les étapes 1 à 3.
2. Prenez un petit élastique et faites une queue de cheval avec les pointes **b** et **d** en serrant sur la bouteille.
3. Passez dans l'élastique les extrémités des pointes **b** et **d**, respectivement à droite et gauche, de façon à former une fleur, les extrémités représentent les deux feuilles.

Pliage

1. Étalez le furoshiki à l'envers. Posez la bouteille au centre.
2. Faites un nœud plat ou une anse coulissante (voir page 12) avec les pointes **a** et **c** au sommet de la bouteille.
3. Croisez les pointes **b** et **d** au dos de la bouteille puis faites-les revenir sur le devant.
4. Faites un nœud plat.

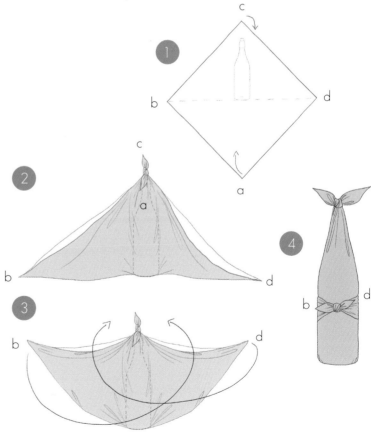

Emballage bouteille 2 - *Bin ippon-tsutsumi 2*

Tailles

70 cm : pour une bouteille (jus, eau, vin, etc.).

Utilisations

Emballage chic qui permet de varier l'esthétique si l'on offre souvent des bouteilles.

Pliage

1. Étalez le furoshiki à l'envers. Posez la bouteille à plat, le talon au centre de la diagonale **bd**.
2. Rabattez la pointe **c** sur le col de la bouteille puis faites de même avec la pointe **a**.
3. Redressez la bouteille.
4. Croisez les pointes **b** et **d** au dos de la bouteille pour les faire revenir sur le devant au niveau de l'épaule de la bouteille.
5. Faites un nœud à une boucle (voir page 13).

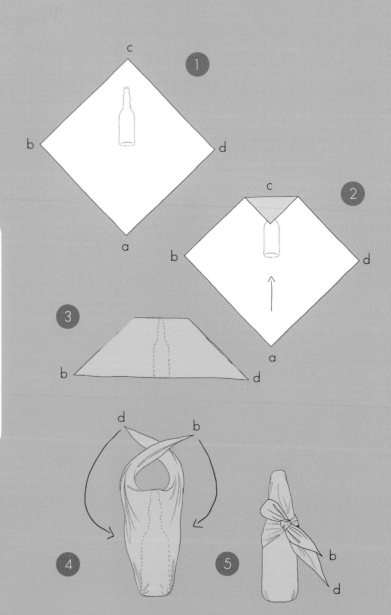

Emballage fleur avec anse
Hanatsuki tesage-tsutsumi

Tailles

50 cm : pour une boite ou un objet de
19 x 13 x 6 cm max.
70 cm : pour une boite ou un objet de
23 x 17 x 10 cm max.

Utilisations

Ce charmant pliage, très féminin, peut aussi bien
servir d'emballage cadeau que pour le transport
d'une boite à déjeuner.

Pliage

1. Étalez le furoshiki à l'envers. Posez la boite au
centre.
2. Faites une queue de cheval avec les pointes **a** et
c à l'aide d'un petit élastique et serrez sur la boite.
3. Avec un furoshiki réversible, passez dans l'élastique les extrémités des pointes **a** et **c**, respectivement
à droite et gauche, de façon à former une fleur, les
extrémités représentant les deux feuilles.
(Si votre furoshiki n'est pas réversible, rentrez les
deux extrémités des pointes **a** et **c** à l'intérieur de
l'élastique de façon à former une fleur.)
4. Faites un nœud plat au sommet avec les pointes
b et **d**.

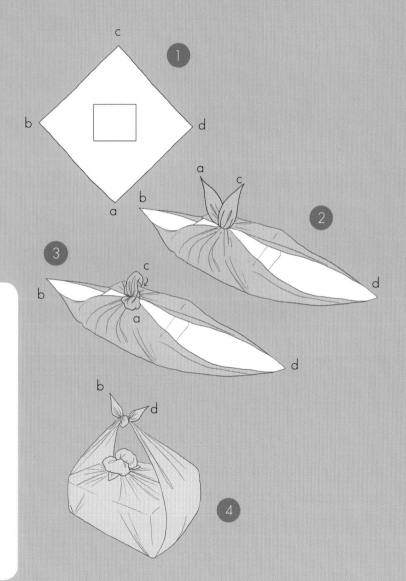

Emballage sans nœud - *Hira-tsutsumi*

Tailles

45 cm : pour des enveloppes, des billets d'avion,
de spectacle, etc.
50 cm : pour un objet de 24 x 18 x 1 cm max.
70 cm : pour un objet de 30 x 21 x 4 cm max.

Utilisations

Ce pliage est utilisé pour emballer des objets plats
(boîtes à chocolats, écrins à bijoux, livres, DVD, etc.),
des accessoires de mode (écharpe, cravate, gants, etc.).
Sans nœud, il permet d'utiliser une surface de tissu moins
grande par rapport à la taille de l'objet à emballer.

Pliage

1. Étalez le furoshiki à l'envers. Posez l'objet au centre.
2. Rabattez la pointe **a** sur l'objet.
3. Faites de même avec la pointe **b**.
4. Rabattez la pointe **d** en repliant son extrémité sous
elle-même.
5. Rabattez la pointe **c** et passez son extrémité sous
l'emballage.

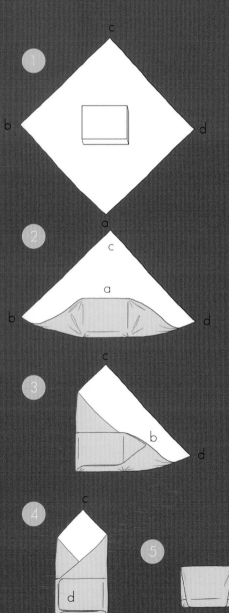

Au Japon, l'orientation du pliage a une réelle importance :
la variante Fukusa-tsutsumi de ce pliage indique s'il s'agit
d'un évènement heureux (voir pliage de gauche) ou triste
voir pliage de droite.

Emballage bicolore - *Nishoku-baggu*

Tailles

2 furoshiki de 50 cm : pour un objet
de 19 x 13 x 7 cm max.
2 furoshiki de 70 cm : pour un objet
de 23 x 17 x 10 cm max.
2 furoshiki de 90/105 cm : pour faire un sac.

Utilisations

Cet emballage permet de jouer sur l'alternance
des couleurs et des motifs. On peut également
l'utiliser en sac de plage ou sac à main.

Pliage

1. Étalez les deux furoshiki l'un sur l'autre à l'envers.
Posez l'objet au centre.

2. Faites un nœud plat avec les pointes **a** et **c**
pour maintenir l'objet.

3. Faites un nœud plat avec les pointes **A** et **C**
par-dessus le 1er nœud plat.

4. Faites un nœud plat au sommet des pointes **b**
et **d**.

5. Faites un nœud simple avec la pointe **B** de
façon à maintenir l'objet et faites de même avec la
pointe **D**.

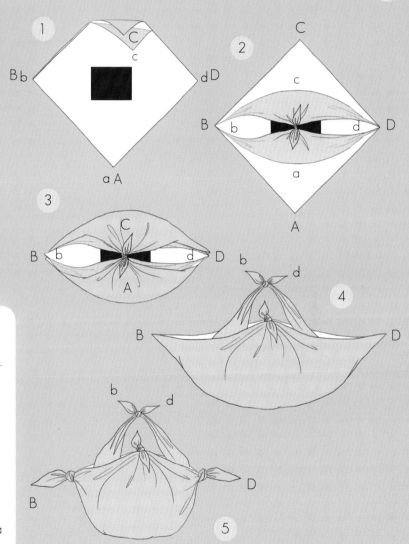

81

Emballage bouton de rose - *Rôzu-tsutsumi*

Tailles

50 cm : pour une boite ou un objet
de 16 x 11 x 8 cm max.
70 cm : pour une boite ou un objet
de 23 x 17 x 10 cm max.

Utilisations

En utilisant un tissu assez rigide, les feuilles de la rose
resteront dressées autour du bouton et donneront un
aspect « tête de lapin » assez amusant. Si le tissu est
plus fluide, les feuilles seront tombantes.

Pliage

1. Étalez le furoshiki à l'envers. Posez l'objet au centre.
2. Prenez l'extrémité des pointes **a**, **b** et **c** dans une main
et coulissez l'autre main autour des pointes jusqu'à l'objet.
3. Passez la pointe **d** autour des trois pointes et faites-la
revenir sur elle-même pour faire un nœud simple.
4. Pour faire le bouton de rose, entortillez la pointe **b**
autour de l'index, retirez le doigt et coincez l'extrémité de
la pointe dans le trou. Dressez les pointes restantes si le
tissu est assez rigide.

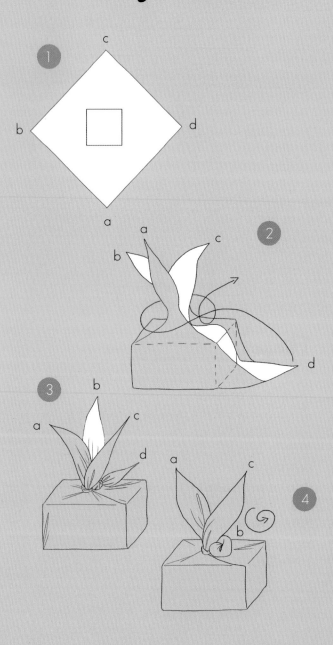

Emballage bouquet de fleur - *Hanataba-tsutsumi*

Tailles

90 cm : pour un bouquet de taille moyenne.

Utilisations

Pour un bouquet de fleurs fraiches, séchées, artificielles, ou, pour les plus gourmands, un bouquet d'assortiment de plaques de chocolat artisanal.

Pliage

1. Étalez le furoshiki à l'envers. Posez le bouquet au centre. Les têtes des fleurs doivent dépasser du furoshiki.
2. Faites une anse coulissante (voir page 12) autour du bouquet avec les pointes **c** et **d**.
3. Rabattez le côté **ab** sur le bouquet en faisant un revers vers l'intérieur.
4. Retournez le bouquet.
5. Faites un nœud plat avec les pointes **a** et **b**.

Emballage fleur en pot - *Ueki-kazari*

Tailles

50 cm : pour un pot de 10 cm de diam.
x 10 cm de haut.
70 cm : pour un pot de 18 cm de diam.
x 15 cm de haut.
90 cm : pour un pot de 26 cm de diam.
x 20 cm de haut.
105/118 cm : pour un pot de 36 cm de
diam. x 25 cm de haut.

Utilisations

Pour offrir une plante ou décorer votre
intérieur avec un joli cache-pot.

Pliage

1. Étalez le furoshiki à l'envers. Rabattez
les pointes **a** et **c** vers le centre de façon à
avoir une hauteur équivalente au pot. Posez
le pot au centre.
2. Rabattez les deux côtés sur le pot.
3. Ramenez les pointes **b** et **d** vers l'arrière
du pot.
4. Faites un nœud à une boucle (voir page
13) ou un nœud plat selon la longueur des
pointes **b** et **d**.

Décoration et arts de la table

Le furoshiki s'invite aussi dans la décoration de votre intérieur. Accroché comme une simple tenture pour habiller un mur, vous pourrez tout aussi bien l'utiliser pour égayer votre canapé et changer à loisirs les housses de vos coussins. Il donne en un instant une ambiance chaleureuse à un diner aux chandelles ou une table de fête.

Matières

Il est possible de choisir les mêmes tissus que pour les emballages cadeaux (voir page 57).

Cache-boite à mouchoirs - *Teisshu-kabâ*

Tailles

50 cm : pour une boite à mouchoirs standard..

Utilisations

Ce pliage permet d'embellir ses boites à mouchoirs, de créer une boite à idées ou une tirelire originale.

Pliage

1. Étalez le furoshiki à l'envers. Posez la boite au centre.
2. Rabattez le côté **ab** sur la boite.
3. Ramenez les pointes **a** et **b** sur la boite et faites un nœud plat.
4. Répétez les étapes 2 et 3 avec le côté **cd** et les pointes **c** et **d**.

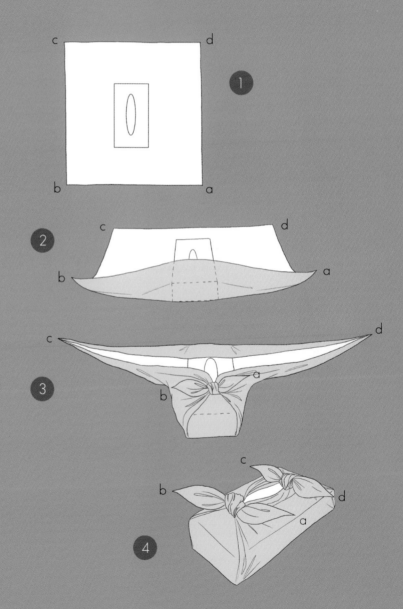

Emballage kimono pour bouteille
Kimono-tsutsumi

Tailles

50 cm : pour bouteille (jus, vin, champagne, etc.).

Utilisations

Ce pliage fera à coup sûr beaucoup d'effet auprès de vos invités et stoppera judicieusement les quelques gouttes de vin qui pourraient tâcher la nappe. Utilisez un furoshiki réversible ou deux furoshiki mis envers contre envers.

Pliage

1. Étalez le furoshiki à l'envers. Posez la bouteille debout, légèrement en-dessous du centre. Faites un revers d'environ 2 cm vers l'extérieur avec le côté **cd** puis relevez le côté sur la bouteille.

2. Croisez la pointe **c** sur le devant de la bouteille puis la pointe **d** par-dessus.

3. Faites un revers avec le côté **ab** d'environ 3-4 cm vers l'extérieur puis rabattez-le sur la bouteille, juste sous le croisement du « kimono » afin de ceinturer la bouteille.

4. Faites un nœud plat au dos de la bouteille avec les pointes **a** et **b**.

Tailles

50 cm : pour une corbeille de
23 x 18 x 8 env.
70 cm : pour une corbeille de
23 x 18 x 8 cm env. et variante
avec anse.
105 cm : pour une corbeille de
38 x 30 x 19 cm env. et variante
avec anse.
118 cm : pour une corbeille de
43 cm de diamètre et 14 cm de
haut env. et variante avec anse.

Utilisations

Ce pliage peut embellir une corbeille à pain, à fruits ou être utilisé
comme vide-poche.

Variante

Panier à anse *Tesage kago-tsutsumi* : on peut ajouter une anse
pour en faire un vrai panier et utiliser de grandes dimensions
pour aller cueillir les fruits du verger, chercher des œufs ou toutes
autres victuailles pour un pique-nique bien garni.

Emballage corbeille Kago-tsutsumi

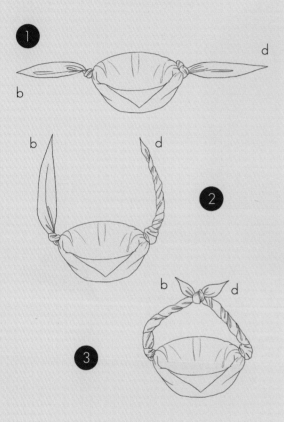

Pliage

1. Étalez le furoshiki à l'envers. Posez la corbeille au centre.
2. Rabattez la pointe **a** à l'intérieur de la corbeille.
3. Rabattez la pointe **c** par-dessus en suivant la forme de la corbeille.
4. Faites un nœud simple avec la pointe **b** et faites de même avec la pointe **d**.

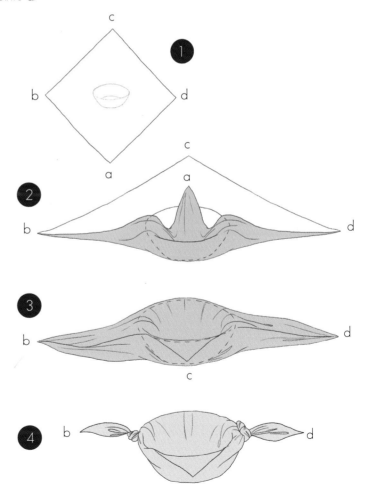

Variante : panier à anse
Tesage kago-tsutsumi

1. Répétez les étapes 1 à 4.
2. Torsadez les pointes **b** et **d**.
3. Faites un nœud plat au sommet.

Porte-couverts - *Katorarî-tsutsumi*

Tailles

50 cm : pour un couteau, une fourchette, une cuillère et des baguettes.

Utilisations

Pour compléter une table de fête ou préparer des sets de couverts pour un pique-nique. On peut remplacer les baguettes par une étiquette avec le prénom, une paille, un crayon, etc.

Pliage

1. Étalez le furoshiki à l'envers. Posez le couteau à l'horizontale vers la pointe **a**.
2. Rabattez la pointe **a** sur le couteau et posez la fourchette par-dessus.
3. Faites pivoter le couteau sur la fourchette. Posez la cuillère juste au-dessus.
4. Enroulez le tout jusqu'à la pointe **c**.
5. Croisez les pointes **b** et **d**, retournez les couverts et faites revenir les pointes sur le devant pour faire un nœud plat.
6. Glissez les baguettes sur le devant.

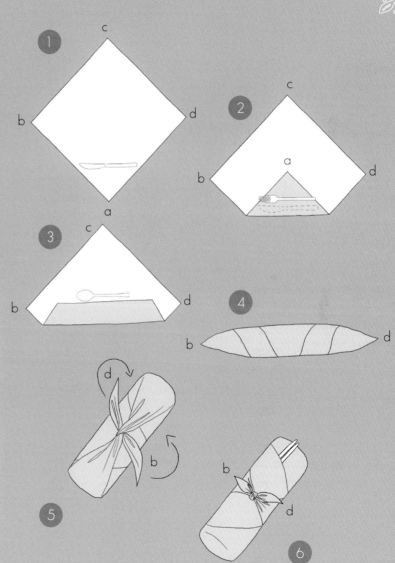

Housse à coussin bicolore
Kusshon-kabâ 1

Tailles

2 furoshiki de 90 cm : pour un coussin 40 x 40 x 5 cm env.

Utilisations

Pour changer souvent de housses à coussin. Les différents modèles de housses se révèleront très faciles à réaliser et à dénouer en cas de lavage.

Pliage

1. Étalez le 1er furoshiki à l'envers. Posez le coussin au centre.
2. Rabattez la pointe **a** sur le coussin, puis la pointe **c** par-dessus.
3. À côté, étalez le 2e furoshiki de couleur différente à l'envers. Rabattez la pointe **A**, puis la pointe **C** par-dessus pour avoir l'équivalent de la largeur du coussin.
4. Posez ce 2e furoshiki sur le coussin, pointes **A** et **C** vers l'intérieur de façon à former une croix avec le 1er furoshiki.
5. Rabattez les pointes **b** et **d** sur le coussin et faites un nœud plat.
6. Retournez le coussin et répétez l'étape 5 avec les pointes **B** et **D**.

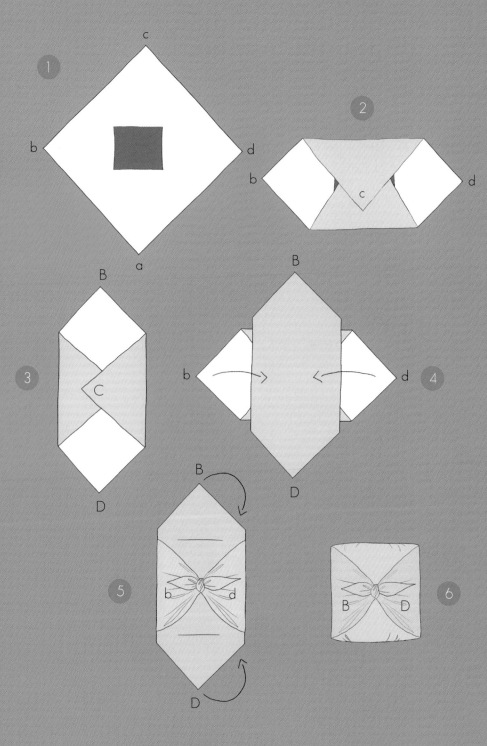

Housse à coussin bicolore - *Kusshon-kabâ 2*

Tailles

2 furoshiki de 70 cm : pour un coussin 40 x 40 x 5 cm env.

Utilisations

Une autre façon de nouer deux furoshiki pour créer une housse bicolore.

Pliage

1. Étalez les deux furoshiki l'un sur l'autre à l'envers. Posez le coussin juste au-dessus de la diagonale **bd**.
2. Ramenez la pointe **a** vers la pointe **c** et faites un nœud plat.
3. Posez ce triangle tête en bas sur le 2e furoshiki (sommet du triangle sur la diagonale **BD**).
4. Ramenez la pointe **A** vers la pointe **C** et faites un nœud plat.
5. Faites un nœud plat avec les pointes **b** et **B** et faites de même avec les pointes **d** et **D**.

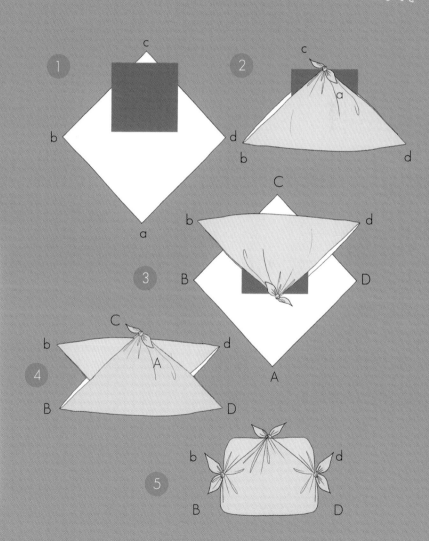

Housse à coussin avec nœuds de côté - *Kusshon-kabâ 3*

Tailles

90 cm : pour coussin 40 x 40 x 5 cm env.

Utilisations

Idéale pour varier l'esthétique de ses housses.

Pliage

1. Étalez le furoshiki à l'envers. Posez le coussin au centre.
2. Rabattez la pointe **a** sur le coussin, puis la pointe **c** par-dessus.
3. Faites un nœud simple avec la pointe **b** pour maintenir le coussin. Faites de même avec la pointe **d**.

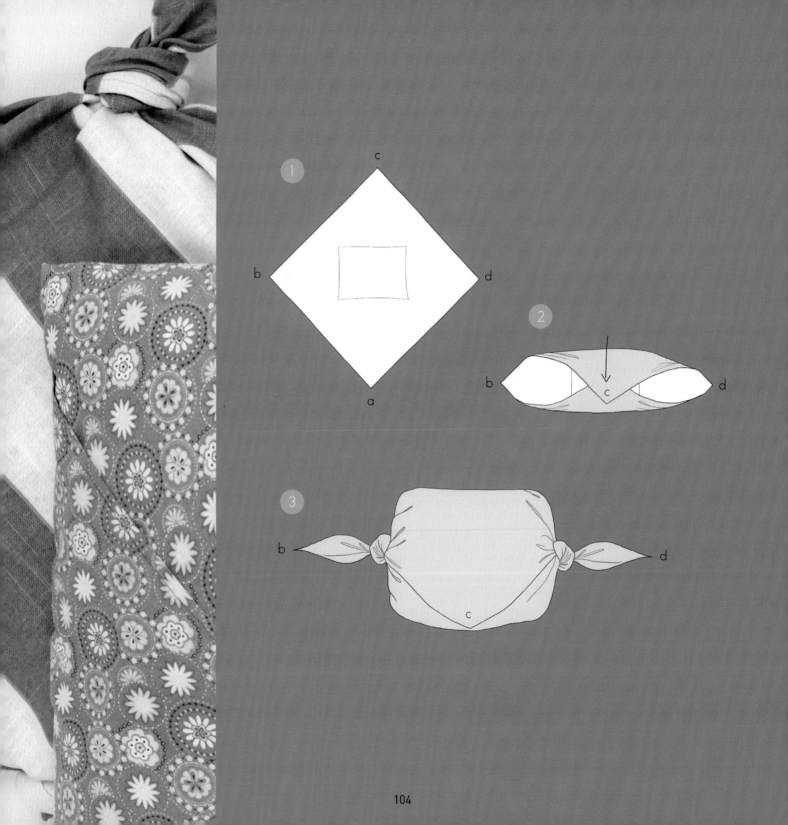

Housse à coussin long - *Kusshon-kabâ 4*

Tailles

90 cm : pour coussin long de 50 x 25 x 8 cm env.

Utilisations

Ce pliage permet d'emballer des coussins longs ou cylindriques.

Pliage

1. Étalez le furoshiki à l'envers. Posez le coussin vers la pointe **a**.
2. Rabattez la pointe **a** sur le coussin.
3. Faites un nœud plat sur le coussin avec les pointes **b** et **d**.
4. Rabattez la pointe **c** sur le coussin.

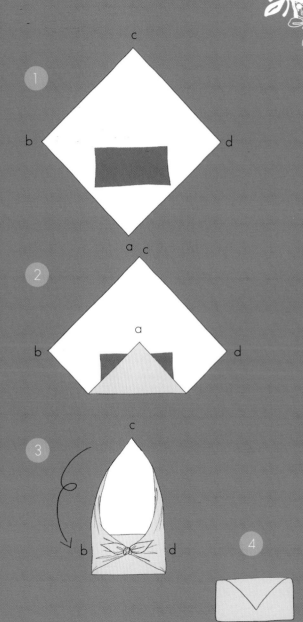

Dos-nus : Hôrutâ-nekku

Un carré de tissu fluide, quelques nœuds bien placés et vous voilà avec un dos-nu chic et tendance. Aussi bien à la plage sur un maillot de bain, qu'en soirée sur un jeans, une jupe, un pantalon en lin, ce furoshiki saura s'adapter à toutes vos envies.

Ce dos-nu se module à volonté : croisé sur la poitrine, asymétrique, bustier, drapés ceinturés pour une poitrine et une taille parfaitement mises en valeur. Il sera également très utile en foulard pour des soirées fraîches ou en sac à main léger.

Matières

Voiles de polyamide, de polyester ou de soie. Préférez des imprimés qui jouent sur la transparence sans tout dévoiler (faites un essai sur la peau avant). Le tissu doit être réversible pour pouvoir faire tous les modèles.

Taille du furoshiki pour tous les dos-nus

105 x 105 cm : de la taille 34 au 42. Au-delà, augmentez la taille du furoshiki.

Dos-nu croisé

Pour une tenue sobre et raffinée, à porter aussi bien en ville qu'à la plage.

Pliage

1. Étalez le furoshiki à l'envers. Rabattez la pointe **a** sur la pointe **c** et faites un nœud plat au sommet.
2. Enfilez le furoshiki autour du cou, le nœud plat doit être sur la nuque. Croisez le furoshiki sur la poitrine.
3. Passez les pointes **b** et **d** derrière la taille.
4. Faites un nœud plat en bas du dos.

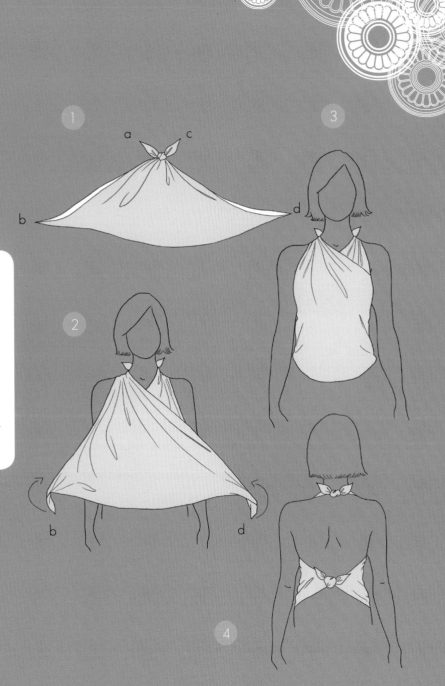

Dos-nu drapé

Avec ce modèle, on peut s'amuser à jouer sur l'échancrure du décolleté.

Pliage

1. Mettez l'envers du furoshiki face à vous. Passez les pointes **a** et **b** autour du cou.
2. Faites un nœud plat sur la nuque. Remontez les pointes **c** et **d** sous la poitrine.
3. Passez les pointes **c** et **d** derrière la taille.
4. Faites un nœud plat en bas du dos.

Dos-nu col rond

Pour un décolleté plus sage et une tenue
parfaite pour tous les jours de beau temps.

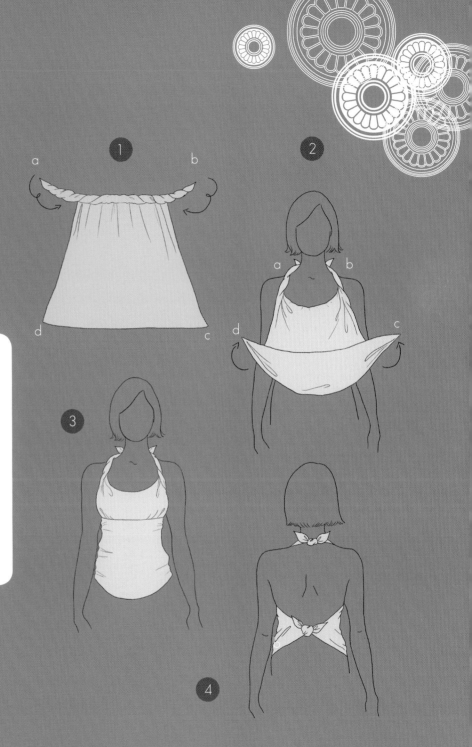

Pliage

1. Mettez l'envers du furoshiki face à vous.
Enroulez les pointes **a** et **b** sur elles-mêmes,
trois ou quatre fois vers l'extérieur. On peut
jouer sur le rendu du col selon le nombre de
tour.
2. Passez les pointes **a** et **b** autour du cou et
faites un nœud plat sur la nuque.
Remontez les pointes **c** et **d** sous la poitrine.
3. Passez les pointes **c** et **d** derrière la taille.
4. Faites un nœud plat en bas du dos.

Dos-nu bustier

Possibilité de porter un soutien-gorge sans bretelles.

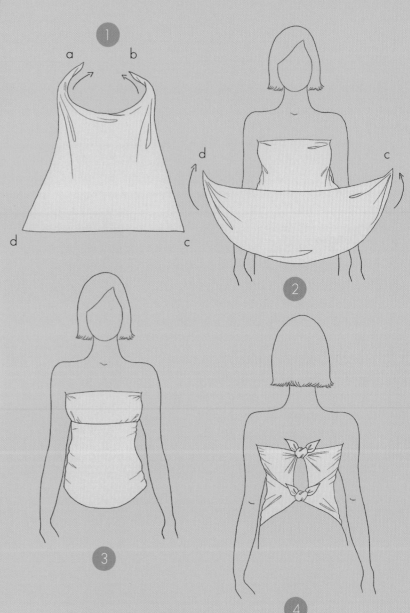

Pliage

1. Mettez l'envers du furoshiki face à vous.
Passez les pointes **a** et **b** autour de la poitrine.
2. Faites un nœud plat dans le haut du dos. Si vous n'y arrivez pas, faites le nœud sur le devant puis replacez-le dans le dos. Remontez les pointes **c** et **d** sous la poitrine.
3. Passez les pointes **c** et **d** derrière la taille.
4. Faites un nœud plat en bas du dos.

Dos-nu asymétrique

Possibilité de porter un petit top asymétrique
en-dessous.

Pliage

1. Mettez l'envers du furoshiki face à vous.
Passez le côté **ab** sous l'une de vos aisselles.
2. Faites un nœud plat sur le haut de l'épaule
opposée avec les pointes **a** et **b**.
3. Passez les pointes **c** et **d** autour de la taille
et faites un nœud plat sur le côté au niveau
de la hanche.

Furoshiki enfants

L'apprentissage de la technique du furoshiki peut se faire à partir de 5 ans, âge moyen où l'on commence à savoir faire des double-nœuds. Cette technique permet d'apprendre tout en s'amusant la motricité fine, les formes géométriques et de sensibiliser très tôt nos enfants, éco-citoyens de demain, à la réduction de la consommation de sacs plastiques et d'emballages papiers.

Un furoshiki pour s'amuser, imaginer et créer !

Le furoshiki sait parfaitement s'adapter à l'univers de l'enfant qui peut le transformer tout au long de la journée en sac à jouets, sac à goûter, sac de sport ou de bibliothèque, panier à pique-nique, bandeau à cheveux, foulard, cape de super-héros, traîne de princesse, nappe à dinette, porte-poupées, doudou, marionnette et encore pleins d'autres formes à imaginer !

Les enfants auront également plaisir à emballer eux-mêmes le cadeau qu'ils destinent à un(e) ami(e) ou à un membre de leur famille et à le personnaliser en ajoutant une étiquette avec le prénom, un porte-clés ou des petits grigris (rubans, perles, petits personnages, scoubidous, etc.). Pourquoi ne pas choisir un emballage simple avec pointe *Otsukai-Tsutsumi* (voir page 58) et y coudre deux boutons ou des ronds de feutrine, de chaque côté de la pointe pour lui donner l'aspect d'une tête de hibou ?

C'est aussi une idée d'activité à faire à la maison, lors d'un goûter d'anniversaire ou d'une fête d'école : préparez des carrés de tissus unis (ourlés ou coupés aux ciseaux cranteurs) et faites les décorer par les enfants avec des feutres textiles ou de la peinture (si vous n'avez pas de matériel, vous pouvez aussi réutiliser tels quels d'anciens foulards, bandanas, paréos). Apprenez-leur ensuite quelques pliages simples. Ainsi, les enfants pourront repartir avec un petit souvenir utile.

Dimensions des furoshiki par tranches d'âges

Sac pour enfant de 2 à 6 ans : 70 x 70 cm.
Sac pour enfant de 7 à 10 ans : 90 x 90 cm.
Sac pour ados de 11 à 15 ans : 105 x 105 cm.

Sac à goûter - *Oyatsu-baggu*

Tailles

70 cm : pour un goûter individuel (biscuits, fruits, eau) et des petits trésors.

90 cm : pour un goûter collectif, un tas de sable, des œufs de Pâques, un sac à main.

Utilisations

Pour transporter le goûter, faire la chasse aux œufs de Pâques, mais aussi ramasser les petits trésors de la nature, transporter du sable à la plage ou faire un petit sac à main.

Pliage

1. Étalez le furoshiki à l'envers.
2. Faites une anse coulissante (voir page 12) avec les pointes **a** et **b** en serrant le 1er nœud jusqu'au bout.
3. Répétez l'étape 2 avec les pointes **c** et **d**.
4. Pour ouvrir le sac en grand, il vous suffit d'écarter les côtés **ad** et **bc**. Refermez-le en tirant sur les deux côtés de chaque anse.

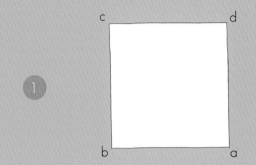

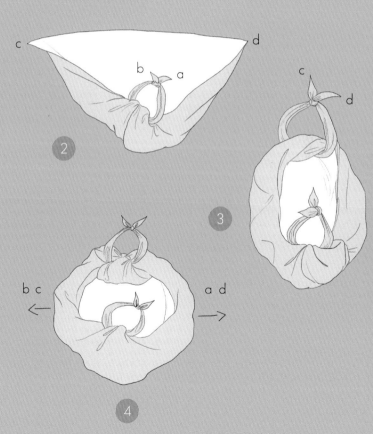

Sac à dos enfant - *Chairudo-ryukku*

Tailles

Utilisez deux furoshiki.
1 furoshiki de 70 cm + 1 furoshiki de 50 cm : pour un enfant jusqu'à 6-7 ans.
1 furoshiki de 90 cm + 1 furoshiki de 70 cm : pour un enfant de 8 à 15 ans et selon ce que l'on veut transporter.

Utilisations

Pour se balader, transporter des affaires de sport ou un pique-nique.

Pliage

Anses :
1. Étalez le petit furoshiki à l'envers.
2. Ramenez la pointe **a** vers la pointe **c** pour faire un triangle.
3. Roulez le furoshiki de la base du triangle jusqu'au sommet.

Sac (cf. page 31 pour le schéma du sac) :
1. Étalez le grand furoshiki à l'envers.
2. Ramenez la pointe **A** vers la pointe **C** pour faire un triangle.
3. Faites un nœud (le 1er nœud du nœud plat) avec les pointes **A** et **C** et serrez un peu.
4. Placez le milieu du furoshiki « anses » sur le nœud. Faites un nœud plat par-dessus avec les pointes **A** et **C** pour bloquer le milieu des anses.
5. Faites un nœud plat avec les pointes **b** et **B** et faites la même chose avec les pointes **d** et **D**.

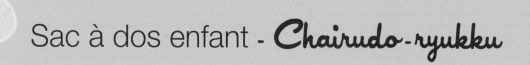

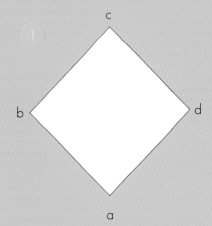

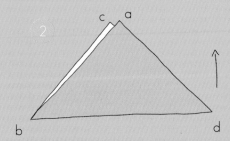

Emballage lapin - *Usagi-tsutsumi*

Tailles

50 cm : pour un fruit rond, un petit sac
de bonbons ou de billes, un pot de confiture.
70 cm : pour un sac plus gros (de bonbons,
de gâteaux ou de billes), un petit doudou.
90 cm : pour ranger un pyjama.

Utilisations

Pour emballer un fruit (pomme, clémentine,
orange), un sac de bonbons ou un petit cadeau
de la même taille (sac de billes par exemple).
Rembourré avec de vieux chiffons, de vieilles
chaussettes propres, ce pliage lapin fera un joli
doudou à câliner ou un range-pyjama astucieux.

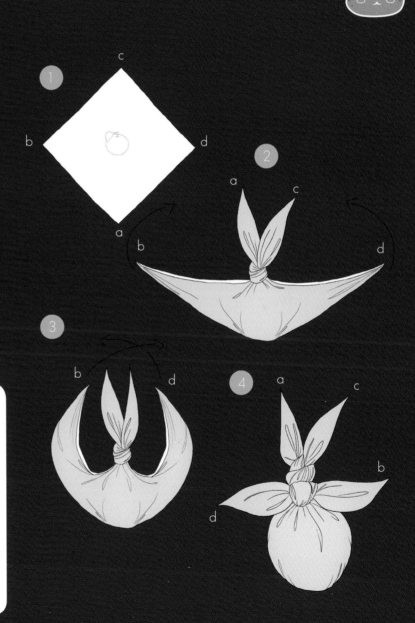

Pliage

Choisissez un coton assez fin pour ce pliage.

1. Étalez le furoshiki à l'envers. Mettez l'objet ou
le rembourrage au centre.
2. Prenez ensemble les pointes **a** et **c** et faites
un nœud simple (voir page 10) pour faire deux
oreilles.
3. Croisez les pointes **b** et **d** à l'arrière.
4. Faites revenir les pointes **b** et **d** sur le devant
pour faire un nœud plat.

Petit dos-nu - *Hôrutâ-nekku*

Tailles

75 cm : pour une petite fille jusqu'à 6 ans.
90 cm : pour une fille de 7 à 11 ans.
105 cm : pour une fille de 12 à 15 ans.

Utilisations

Ce dos-nu est parfait pour les vacances d'été,
à la plage ou à la piscine, par-dessus un maillot
de bain.

Pliage

Trouvez un voile de coton réversible avec de
jolis petits imprimés.
1. Étalez le furoshiki à l'envers. Ramenez la
pointe **a** vers la pointe **c** pour faire un triangle
et faites un nœud plat.
2. Enfilez le furoshiki autour du cou de l'enfant,
le nœud plat doit être sur la nuque. Croisez le
furoshiki sur sa poitrine.
3. Passez les pointes **b** et **d** derrière la taille.
4. Faites un nœud plat en bas du dos.

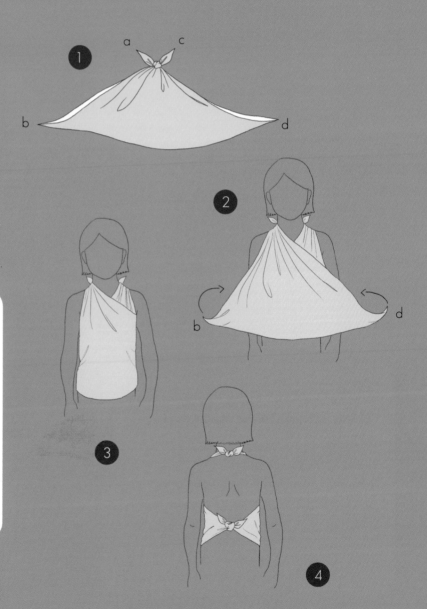

Remerciements

L'Atelier du Furoshiki, créé en 2009 par Aurélie Le Marec et basé en Loire-Atlantique, propose des ateliers d'initiation et de perfectionnement, dans toute la France, pour les particuliers (adultes et enfants à partir de 5 ans), les associations, les musées, les entreprises, les centres de loisirs, les complexes scolaires, les professionnels, etc.
Il propose également à la vente une large gamme de furoshiki en provenance du Japon ainsi que des furoshiki en tissu de réemploi.

L'Atelier du Furoshiki
Pont-Saint-Martin (France)
06 83 71 59 41
www.latelierdufuroshiki.fr
contact@latelierdufuroshiki.fr

Où trouver des noix de lavage ?

Polange, depuis 1979 dans un esprit d'équité et de protection de la vie : www.polange.com

L'auteur remercie tout particulièrement Makiko, Etsuko, Christelle, Rémy, Olivier et Monsieur Kawai, pour leur aide et leur soutien.

L'éditeur tient à remercier les modèles pour leur gracieuse participation à la réalisation de ce livre.

Retrouvez le pliage de ce coussin sur le blog des éditions Tutti Frutti ou téléchargez-le sur le site des éditions : www.tuttifrutti.fr.